「街小説」
読みくらべ

都甲幸治

立東舎

まえがき

街は生きている。たとえば金沢という文字を見ただけで、僕が高校時代を過ごしたあの場所が不意によみがえってくる。灰色の雲で覆われた低い空、見上げると暗い色の点となって降ってくる雪の粒、古色を帯びて広がる家々。僕は雪の上を歩き、犀川にかかった大きな橋を渡る。肌に迫ってくる寒さ、鼻から入る冷たい空気。そしてすべては青白く光っている。

過去の人生は単にその時期だけで終わったわけではない。僕らの全身を浸す記憶の中で、それらは今、目の前にある暮らしと同じ確かさを持って、ただし現実とは少しだけ違った次元に存在している。そして独自の生を続けている。だから、かつて訪れ長い時を過ごした街一つ一つには自分が存在する。そうした暮らしの中で多くのことに気づき、体験し、成長している。ただ普段僕らは目の前に忙しさにかまけて、彼らに会いに行かないだけだ。

本書では僕が時を過ごしてきた八つの街を巡った。金沢、ロサンゼルス、吉祥寺、福岡、国立、本郷、早稲田、ニューヨーク。この並びは一見奇妙なものにも思える。どうして外国はアメリカだけなのか。あるいは、吉祥寺と国立、本郷と早稲田はすべて東京ではないのか。確かにその通りだが、まあそこは大目に見てください。いくら近くても、体感としてはその四つはまるで違った街なのだから。

街の名前を目にした途端、僕の意識はそこにいた時代に飛ぶ。気づけば街を歩いている。そして、そのころ周囲にいた人たちと話している。その中には、もうこの世にいない人も混じっていて、でも生者も死者も平等に声を放つ。エッセイを書きながら、彼らが確かにそこにいる、という存在感を再び味わうのは楽しかった。そして、その存在感が膨大に集まって一つの街ができていることを実感した。そうした存在には、吉田健一も言うように、木や家や山といったものも含まれるのだろう。

それだけではない。一つの街に三冊ずつ、そこを舞台とした小説を選んで読んでいった。これは興味深い体験だった。今まで僕は小説を、言葉によって作られた芸術作品だと思ってきた。そこに作者は自己の体感や思想を盛り込む。しかも小説の言葉は自前の魅力で、作者の意図を大きく越えて、ときには書いた者より偉大で賢い存在になってしまう。

けれども読み方を変えたとき、小説には街そのものが詰まっていると気づいた。街は作者の身体に常に働きかける。そこに沈殿した街の思考が、やがて言葉となって結晶し、書き手の魂の奥底からせり上がってくる。古井由吉の作品で語り手は屋根に登り、重い雪を何時間も地面に下ろす。はるか遠くのほうまで膨大な人数の男たちが、同じ作業をしているのが見える。そして彼は垢の浮いた銭湯に入る。湯の熱とともに、男たちの体がつながっていく。こうした感覚の全てが金沢なのだ。

自分の体験に、他の三人の感じた街が混ざる。同じ街なのに、時代も性別も個性も違う人々が受けとる街は大きく違っていて、でもやっぱり同じだ。四人の視線を受けることで街は立体的になる。いや、三次元、四次元、五次元とどんどん複雑化していって、そうしてできた奥行きのおかげで、僕の心の片隅に眠っていたほんの小さな感覚や思いが、ときには数十年ぶりに引き出される。そしてこうしたものこそ、今の自分を確実に作り上げているのだ、と気づく。

ここまで書いて、こうした作業こそ日本文学の伝統に則していることに気づいた。先人は日本中を隈なく歩き、そこここで歌を詠んでいる。その歌には場所の気や歌人の思いが込められていて、それらの作品を意識しながら、後世の歌人も歌を詠む。こうして日本全土が、深い言葉の森に覆われていく。

こうした本歌取りの思想は、決して歌だけに限ったものではないだろう。小説も同じはずだ。様々な言葉を取り入れながら、歌の何倍にも膨らんだ言葉はたくさんの人の思いを凝縮していく。先行する作品を、時にパロディにして笑ったり、オマージュとしてなぞったりしながら、小説空間は時間と場所を越え、国境をも越えて無限の対話として広がる。

この本を書きながら、かつてバフチンが語った小説の原理を僕も我がこととして経験できた。そして文学の読み方が少しだけ変わった、と思う。僕らは人生を生き、その中で多くの人に出会う。先行する人々は僕らに多くのものを与え、やがては消えてしまう。

だがそこに無償の贈与があったことは確かな事実だ。かつて愛があり、僕らは信じられないくらい多くのものを受けとってきた。文学はそのことの確かな記録で、だからこそ僕らは、ただひたすら与えることが正しいのだとわかる。

この本もまた、そうした贈り物のリストだ。だからあなたはこのプレゼントをためらうことなく受けとってほしい。そして小説を手に取りながら、自分にとって大切な街を再び訪れてほしい。そこには、何年も、あるいは何十年もあなたが来るのを待ちわびた人々がいるだろう。そして温かさを分け与えてくれるだろう。

4・福岡

5・国立

6・本郷

7・早稲田

8・ニューヨーク

1 金沢

プロローグ——真っ黒いルーの謎のカレー

父親の転勤で金沢に引っ越したのは中学二年生の終わりだから、八〇年代の半ばかな。それまでは東京の多摩地区にいて、金沢がどんなところかなんて全然知らなかった。だから着いたときには不安だった。家に向かうタクシーのなかからずっと街を眺めていたのを覚えている。もう三月だったけど、曇り空の下で街は灰色だった。

四月から学校に通い始めて驚いた。それまで二年間私立の男子校に通っていたから、急に女子が現れたことに抵抗感があった。もちろん小学生のときは共学だったんだけど、小六から中三の違いは大きいよ。そのときの僕にとって彼女たちは、元気でセクシーでとにかくもう、得体が知れなかった。

言葉も全然違っていた。僕が「それでさ」なんて言うと、ものすごく東京風に響くんだよね。で「わしさ」とか変な感じで真似された。それから「そうだよ」と言うと「女か！」とか言われて。どうも「よ」で終わるのが女っぽく響くらしい。

じゃあ地元の子たちがどういう言葉でしゃべっていたかというと、標準語でも関西弁でもない未知の言葉だ。「あのおーんね、それでぇーんね」(あのね、それでね)、「ゆーとぅげんていや」(言ってるじゃないか)、「だらじゃいや」(バカじゃないの)、「行くうぇ」(行くよ)みたいな感じ。語彙もリズムも音も、それまでテレビで聞いたことがある、あらゆる日本語と違っている。おまけに自分のことを「わし」と言っている女子もいるし。

このままではカッコつけたやつだと思われて周囲に相手にされないから、金沢弁を必死で覚えた。そのための語学教材もないので、周囲の人たちが話す言葉を文章ごと音で暗記して、自分でもしゃべれるようにがんばった。もはや外国語である。努力の甲斐あって、数年経つうち地元の子と間違えられるくらい話せるようになった。今ではだいたい忘れてしまったけど。

言葉はどうにかなっても、気候には慣れなかった。特に冬はずっと曇りの日が続き、信じられない量の雪が降ってくる。歩き方がわからずに滑り、そのまま溝にはまったりした。長靴ではなくスノーブーツを履くのが流行っていたんだけど、濡れたブーツを乾かして、朝履いて学校に行くと、途中でズブズブに濡れてくる。なんてことはない。乾いていたのではなくて、単に凍っていたのだ。ああ、寒い。

地形にも慣れなかった。街の両側に山脈がそびえていて、開けているのは北の海側だけだ。おまけに雲で空も低い。関東平野から来た僕は、ものすごく狭いところに閉じこめられた気がした。どうにかして早くここから出ていきたい、と深刻に思った。

考えてみれば、僕のこうした脱出願望が、今の仕事につながっている気がする。そのうち、ラジオで「英語会話」や「百万人の英語」を聞き、「うつのみや」という大きな書店にある洋書コーナーでリーダーを自分で買いまくってはどんどん読むようになった。サリンジャーの『キャッチャー・イン・ザ・ライ』を原書で買って挑戦もしたのもこのころだ。これには影響を受けすぎて、大げさなしゃべり方が身についてしまった。

良い仲間ができたのもこの街でだ。金沢大学附属高校という、犀川を遡って野田山の麓にある高校に入った僕は、気づけばかなりのおしゃべりになっていた。昼休みの理科室で弁当を食べながら、その日にあったことや読んだ本のことを、十人くらいの友達の前で面白おかしく話して聞かせる。気に入ってくれた先生も聞きに来てくれていた。今僕はけっこう書店イベントをしているのだが、話している内容はほとんど当時と変わっていない気がする。

なかでも特に仲が良かったのは、海沿いにある金石《かないわ》という街から自転車で片道一時間かけて通ってくる、味噌屋の息子の舟木君と、街の反対側、浅野川のほうに住んでいる北君だった。三人で自転車でよく街中を走り回ったな。金沢は車で回ると小さいんだけど、自転車ではけっこうしんどい。坂も多いしね。それでも平気で何時間でも走っていた。台風が来ても気にしなかった。

結局僕はその後、東京の大学に入り、外国研究の道に進み、ロサンゼルスの大学院にまで行ってしまった。脱出願望は大いに充たされたけど、そうなるとときどき、狭い街の狭い人間関係のなかで温かく暮していたときのことが懐かしくなる。数年前、同窓会の参加も兼ねてものすごく久しぶり金沢に行った。和菓子はおいしいし、金沢21世紀美術館はおしゃれだし、お寺や庭園は素敵だしと、ものすごく堪能したんだけど、やっぱりそれは観光客の視線でしかないんだよね。

数百円を握り締めて、真っ黒いルーの謎のカレー（今で言う金沢カレー）を高校の横の食堂に食べに行ったときの気分とか、犀川の水を眺めながら、ここに飛び込んだらどうなるのかなあ、と思ったときのこととか、名所旧跡もグルメも関係ない、ただの金沢が今でもふっと心に浮かぶ。ああいう記憶の断片が今の僕を確実に作っている。

室生犀星「幼年時代」――杏の温かい音

高校時代にはいろんな本に出会った。それまでいわゆる日本近代文学、という感じの漱石や鷗外、志賀直哉なんかを読んでいたんだけど、村上春樹や高橋源一郎などの存在にようやく気づいたのだ。彼ら同時代の書き手たちに共通するのは、レイモンド・カーヴァーやドナルド・バーセルミなど、現代アメリカ文学に強い影響を受けていることだった。でももちろん田舎の高校生だからそこまではわからず、繁華街の片町にある「うつのみや」という大きな書店の洋書コーナーでJ・D・サリンジャーの『キャッチャー・イン・ザ・ライ』を買い、おしゃれなものを読んでいる自分に酔いしれていた。うーん、青春。

だが、当時本当に心の底から好きだったのは、室生犀星だった。中学時代は谷川俊太郎が大好きで、角川文庫版の詩集をいつも制服のポケットに入れていて、ときどき友達に朗読したりしていたが、そのうちもう少し古い詩を読むようになったのだ。岩波文庫版の『室生犀星詩集』を手に入れて、なんだかとてもいいなあ、と思ってくちずさんでいた。たとえばこんな一節だ。

あんずよ
花着け
地ぞ早やに輝け
あんずよ花着け
あんずよ燃えよ
ああ　あんずよ花着け（『叙情小曲集』17－18ページ）

そのときにはこれが文語体ということも意識せず、ただ温かな風景を描いた祈りの声としてだけ聞いていた。だから、その裏に犀星のどんな生活があるかもほとんど知らなかった。

ふるさとは遠きにありて思ふもの
そして悲しくうたふもの
よしや
うらぶれて異土の乞食《かたゐ》となるとても
帰るところにあるまじや
ひとり都のゆふぐれに

ふるさとおもひ涙ぐむ
そのこころもて
遠きみやこにかへらばや
遠きみやこにかへらばや（『叙情小曲集』15ページ）

僕には故郷がない。東京、秋田、石川、ロサンゼルスと常に移動しながら育ってきたために、ここ、という決定的な場所がないのだ。プロフィールにはいつも福岡出身と書いてはいるが、祖父母が住んでいて、たまたまそこで生まれただけで、住んだことはない。それでも、犀星の想いはよくわかる。東京にいても異国だが、金沢に帰ったところで、あのころの街はもうない。人も風景も変わってしまっている。ならば故郷とは、もはや自分の心のなかにしか存在しない。

あらかじめ失われた故郷

室生犀星が書いた最初の小説である「幼年時代」はその、失われた故郷を文章の形でよみがえらせる試みである。しかし、当の幼年時代においてさえ、犀星の故郷はあらかじめ失われてしまっている。なぜか。物心ついたときには養子に出されていて、しかもそこから彼は、寺にもらわれていったからだ。

冒頭部分ですでに、主人公の男の子には二つの家がある。実家と今住んでいる家だ。行ってはだめだ、と思いながらも、彼は毎日のように実家に遊びに行く。そしてゆったりとした温かな時間を過ごす。だが、こうした日々も終わりを告げる。もとは武士だった父親が亡くなり、その小間使いだった母は、父の弟のせいで家を追い出され、そのまま行方不明になってしまう。噂ではしばらくして死んだらしいが、定かではない。

主人公は苦しみ、もがき、気づけば学校では乱暴者として通るまでになっている。彼の心に寄り添ってくれるのは唯一、出戻りの姉だけだった。しかしやがて姉も遠くに嫁入りすることになる。自分で作った祠で熱心に祈っていた主人公の姿を見て、隣の和尚さんが、僧侶にならなくてもいいから、寺の養子にならないかと言ってくる。主人公はようやくのびやかな気持ちで暮らせる場所を見つけた。だが彼の抱え続けている寂しさがそれで消えるわけもない。

「幼年時代」には二つのイメージが出てくる。温かくて優しいものと、冷たくて寂しいものだ。温かいものの代表例は杏の果実である。熟れすぎた杏は「温かい音」(9ページ)を立てて地面に落ちる。そうなる前に子供たちは隊列を組んで「優しい果実」(21ページ)を掠奪して回る。もちろん彼らが奪うのは、垣根から道に張り出した枝に付いているものだけだ。金沢の街の大人たちは、そういう子供たちを暗黙のうちに受け入れている。

そうした温かな共同体の中心にあるのが主人公の実家だ。実の親子と飼い犬しかいない家族は、寄り添うだけで通じあえる。「隔たりのない総ての親密さが私達親子の上にあった。そんなとき、シロも傍らの草のなかにねむっていた」(51ページ)。だが気づけばその家は消え去っている。もらわれていった家で優しさをくれるのは、血のつながっていない姉さんだけだった。

そして冷たくて寂しいのは何より、北国の自然だ。雪の降るなか、すべての音は消え、寂しさだけが残る。「北国の冬の日没ごろは、油売の鈴や、雪が泥まみれにぬかった道や、忙しげに行き交う人人の間に、いつもものの底まで徹る冷たさ寒さをもった風が吹いて、一つとして温かみのないうちに暮れてゆくのであった」(77ページ)。こういう記述を読むと、僕のなかの金沢がよみがえってきてしまう。

そんな自然に囲まれた主人公は、もらわれていった家でなんとも言えない寂しさを感じる。もちろん継母はかわいがってはくれた。しかし、言葉の端々に隔たりを感じてしまう。そして、また実家に行っていたことを詰られる。自分は一人息子なのに、どうして実家にいられないのか。誰も教えてくれないまま、主人公の心は屈折していく。

安心できる場所を求めて

もっと辛いのは学校だ。些細なことで傷つき暴れてしまう主人公を、先生は目の敵にし、何か理由を付けては体罰を加え、居残りを命じる。昔は自分も子供だったろうに、どうして先生は自分の心に寄り添うどころか、いたずらに暴力を振うだけなのか。主人公が自分の心を守ろうとして微笑んでも、それがまた先生の怒りを掻き立ててしまう。「私は学校の『野町尋常小学校』と太い墨でかいた門のところで、極度の嫌悪のために牢獄よりも忌わしく呪うべき建築全体を見た。『私はなぜこんなところで物を教わらなければならないか。』という心にさえなった。あの商家の小僧さんのように何故自由な生活ができないのかとさえ思った」(30ページ)。もっと大きくなれば、こんなふうに暴力を振われたままではいなくてすむのに。そして、もっと勉強して偉くなれば、自分を苦しめる者たちを見返すことができるのに。芸術家になりたい、という犀星の願いの底に、こんな怒りがあったなんて。

失われた実家以外に、主人公がありのままの心を出せる場所はないのか。ほんの少しだけある。自分で作った祠の前、寺の横を流れる犀川の河原、そして寺のお堂だ。川を流れてきた地蔵をまつる祠を幼い主人公は自力で作る。そして、いなくなってしまった実母の無事を祈り続ける。すぐ近くを流れる犀川の美しい水に鮎が泳いでいる。「秋になるとすぐに解るのは、上流の磧《かわら》の草むらが茜に焦げ出して、北方の白山山脈がすぐに白くなって見えた」(68ページ)。この赤と白のコントラストが美しい。そしてまた、主人公がのびのびとした気持ちでいられるのは、住職さんと暮すお堂だ。

こう見てくると、主人公がホッとできるのは、多かれ少なかれ、この世を越え出た場所であることがわかる。祠や寺は神や仏の領域であり、そこでは現世の理不尽も消滅し、正しく清い者が報われる。そして犀川は人間の世界である街に入り込んだ自然であり、そこには善も悪もない。続編「性に目覚める頃」に、和尚さんの茶の湯のために主人公が犀川の水を汲むシーンがある。「汲んでしまってからも、新しい見事な水がどんどん流れているのを見ると、いま汲んだ分より最《も》っと鮮やかな綺麗な水が流れているように思って、私は神経質にいくたびも汲みかえたりした」(86ページ)。

日常から切り離された時間のなかで、犀川の水で淹れた茶を楽しむ。そこはもはや、主人公を苦しめる、冷たい、寂しい人間の世界ではない。その後、彼が芸術の世界に向かったのも、杏や犀川の水の温かさに引き寄せられたからだろう。そしてまた、女性たちに惹かれたのは、そこに実の母や義理の姉の姿を見ていたからに違いない。犀星の温かな作品には、キレのよさばかりが求められる現代文学とは正反対の、もう一つの文学のあり方が示されている。

街の魂を刻む小説

今回、室生犀星について調べていて、僕は勝手に、彼との深い縁を感じていた。若いころの写真を見て驚いたのは、高校時代の友人である舟木君とそっくりだったことだ。これは金沢の土地の顔なのだろうか。しかも犀星行きつけの本屋は僕と同じ、片町の「うつのみや」だったらしい。うわー。僕がサリンジャーを見つけた店で、犀星は自分の詩が初めて掲載された雑誌を見つけたわけだ。しかも野町小学校の近くにある野町公民館で、僕の母は一時期、学童保育の仕事をしていた。当時僕の家は、野町から犀川沿いに十分ほど遡ったところにある寺町にあった。

犀川の思い出もたくさんある。「うつのみや」で参考書を買って、曇り空の下、犀川の河原を三十分かけて家まで帰ったこと。いくらがんばっても自信がなくて、自分に将来なんて本当にあるんだろうか、なんて思っていた。その傍を、犀川の水は淡々と流れ続けていた。そして犀川の花火大会で、空を埋め尽くす火花を眺めながらどんどん川を遡り、ついに花火が爆発している真下まで行ってしまったこと。

そのときには気づかなかったけど、花火の光に赤く染まる犀川を見ながら陶然として歩いていたなんて、なんだかすごく、犀星っぽい瞬間ではないか。今、東京で犀星の自伝的小説を読んでいて、まるで自分の過去を読み直しているようだった。まさに文学とは、文字の形で刻み込まれた街の魂なのだと思う。そして高校時代の僕は、仲間たちのかけがえのない優しさに囲まれて生きていたことに気づいた。

参考文献
室生犀星『或る少女の死まで　他二篇』岩波文庫、二〇〇三年。
室生犀星『室生犀星詩集』岩波文庫、一九八三年。

古井由吉「雪の下の蟹」――男たちの体の群れ

金沢と言えば、やはり雪だ。冬になると、低く立ちこめた鉛色の空から、止めどなく雪が降ってくる。見上げれば、灰色の無数の点が揺れながらこっちに向かってくる。やがて雪が降っているのか、あるいは自分の体が上昇し始めたのかわからなくなってしまう。

そうなると、もう毎日雪かきするしかない。地元の言葉で「雪すかし」を三十分もしていると、息が上がってきて体が熱くなる。それでも、家の前の雪をどかさないと人も車も通れないから、みんな黙って我慢強く雪かきを続けるのだ。屋根に積もった雪は、分厚いひさしとなって軒から張り出してくる。そして徐々に内側に巻いていく。物干し竿で突っつくと、ドドッ、と意外なほど大きな音を立てて地面に落ちる。その前に数年、秋田に住んでいたときはアパート暮らしで、ここまで雪と格闘する必要はなかった。けれども金沢の寺町の家は平屋で、僕の家族が雪から逃れることはできなかった。

気づけば高校の校庭には二メートルほどの雪が降り積もっている。当然ながら、体育は屋内のみだ。春になるまで校庭の土なんて見えやしない。校舎の屋上から校庭の雪に飛び降りて遊ばないように、と先生から注意があった。大して高い建物ではなかったけど、それでもそんなことをやる生徒がいるとは信じられなかった。だが、校庭に広がる雪を見ていると、僕たちの体をふわりと受け止めてくれそうに見える。もちろん実際には氷の塊だからそんなことはない。死ぬことはないにしても、骨折くらいは平気でするだろう。それでも、白い雪は確かに僕らを誘っていた。

いちばん雪と格闘したのは共通一次試験の当日だ。センター試験と名前が変わる前の最後の年で、当時、金沢城のなかにあった金沢大学の校舎で受けた。会場への行きも帰りも猛吹雪で、歩いていると前方から、雪が同心円を描いて吹き付けてくる。そのなかを、呼吸もろくにできぬまま黙々と歩いて行く。だから城跡と真っ白な雪、そして入試の緊張が、僕のなかで結びついている。その日の夜、記憶をたどりながら、ラジオから流れてくる回答に合わせて得点の計算をした。インターネットもない時代だから仕方がないにしても、どうしてそんな芸当ができたのか。それほど当時の自分の精神が張り詰めていたのか。

東京から北国へ

古井由吉の作品「雪の下の蟹」で、大学院を出たばかりの主人公は教師として金沢大学に就職する。室生犀星「幼年時代」に登場した犀川とは街の反対側にある浅野川近くのはんこ屋に下宿していた彼が正月、東京への里帰りを終えて金沢に戻ると、一面が雪の世界に変わっている。冒頭部分こそ川端康成の『雪国』を連想させるが、その後の展開は大きく異なる。一時的なお客さんではなく、まがりなりにも定住者となった彼は、生まれて初めて、果てしない雪かきを体験するのだ。

普段東京のような大都市に住んでいる者たちは、自然を無視して暮している。その眠りを覚まされるのは、ときたまやってくる地震と、大きな台風くらいか。そんなことがあってさえ、何もなかったような顔をして会社に行き、いつもどおりに働くのが美徳にさえなっているように思える。

だが、この北国では違う。低い灰色の空から、大量の雪が降りつもる。はんこ屋の主人は言う。白山の鳥たちが今年は高いところに巣を作っている。だから豪雪になるに違いない。天気は人の心に直接的な反応を引き起こす。「私はまるで気圧計のようになすすべもなく空の動きに反応して、空が白めば心の内がわけもなく白み、空が閉ざされれば心の内も閉ざされ、うつらうつらと暮らしてきた」(14ページ)。人は空模様と感応しながら生きるしかない。古井由吉の後年の作品、たとえば『ゆらぐ玉の緒』などを読んでいると、低気圧に左右される自分というモチーフが出てくるが、こうした感覚は若いころからのものだということがよくわかる。

雪と体

雪は空を暗く閉ざすだけではない。雪明かりが道行く人々の顔を青白く照らし出し、彼らに、まるで死者のような、ぞっとするほどの美しさを与える。あるいは、その光は家のなかにまで入り込み、見知ったはずのものの質感まで変える。「階下の居間で朝食を摂っていると、茶碗や箸にまで蒼白い微光がまつわりつき、それを持つ手も毛孔《けあな》のひとつひとつまで顕わして、まるで私と別の生き物のようだった」(17ページ)。それはもはや、異界から来る光だ。

都市に閉ざされてきた主人公の感覚は環境に開かれ、彼の前で物たちは別の姿を現す。いや、そうなるのは物たちだけではない。彼自身もまた、自分の見知らぬ姿に気づき始めるのだ。彼にとって、大学の語学教師という仕事は、ただ淡々とこなすだけのものでしかなかった。そして生活も荒れ、何にも興味が抱けない情況が続く。しかし彼は雪のなかで、別の自分を発見する。

それもまた気圧の変化と同じく、体からの気づきだった。いよいよこのままでは屋根が抜けてしまう。そうした恐れに促されるままに、彼ははんこ屋の主人とともに、屋根の雪下ろしを始める。雪は屋根の中心部から下ろさなければならない。端から下ろすと、屋根がたわんで真ん中が押しつぶされてしまう。体験に基づいた貴重な講義のあとは、降り続く雪のなか、ひたすら体を動かすだけだ。

　本を読み、本について語る。大学でそうした仕事を続けていると、体の感覚が鈍くなってくる。思考ばかりが進んで、自分が体を持っていることすら忘れてしまう。彼の生活の荒みは、そうした頭に偏った暮らしへの、体からの反逆ではなかったか。だが、過酷な雪かきにそんな頭と体の分裂が入り込む隙間はない。屋根に上って何度も雪を投げ下ろすという反復のなかで、自然と自分が消えていく。「血行が健《すこ》やかになってゆき、神経がやさしい獣のようにまどろんでいた」（24ページ）。滞った血は頭に淀み、イライラとしたささくれ立った思考に誘う。自分とは何なのか。自分は何をすべきなのか。自分に合った未来とはどういうものなのか。こうした二十代にありがちの自分自分という問いかけが溶け去る。身体は動物としての喜びに震える。

　気づけば、屋根の上で雪かきをしている他の男たちとシンクロしていた。「雪の落ちる音を聞いていると、私の動きは雪靄の奥の男たちの動きとぴったり合っていた」（28ページ）。そのとき、男たちの体は群れのまま一つになる。このときばかりは、あれほど苦しかった自意識の問いも消えている。

　雪のせいで商店から魚や野菜が姿を消しても、米の飯ばかりの夕食がとにかくうまい。「風呂に行ってきまし」（30ページ）という言葉に促されて銭湯に行き、裸になって、男たちの垢の浮いた湯船につかる。だが不思議と汚いという気持ちは湧かない。ただ、しみ通っていく温かさに体が喜んでいるという感覚があるだけだ。そのとき、裸の男たちの体は再び、湯の温かさのなかで一つになる。

蟹のように春を待って

金沢弁には、特有の声がある。それがイントネーションなのか、あるいは音の出し方なのか、言語学に疎い僕にはわからない。でも「風呂に行ってきまし」という表現を見ると、重みと熱を持った音が僕の脳裏に響いてくる。あるいはこれだ。北陸線の線路に積もった雪を自衛隊が火炎放射器で炙ったら、表面がちょっと溶けただけだった、という話を聞いて「ダラなこと」と言い、「そんなことを考えついた男は、どうせ鹿児島あたりの出やろ」と決めつける。

室生犀星の作品では、おそらく強い金沢弁で交わされていただろう会話は、すべて限りなく優しい、詩的な標準語に置き換えられている。それは、地域性よりも、人々の交流の繊細さを強調した小説においては正しいことだったと思う。生の金沢弁を東京に住む文壇の人々はあまり理解できなかっただろうし、そうでなくても、そこまで優しいものだとは思わなかっただろう。

けれども彼の作品を読んでいて僕は寂しかった。室生犀星の作品では、僕の知っている声がすでに翻訳されてしまっているのだ。金沢弁のネイティヴである犀星にとって、それは「自然」な作業だったのかもしれない。しかし古井由吉は違う。ほんの三年ほどしか金沢にいなかった彼は、あの街の言葉を、意味より先に音として聞いた。だからこそ、そうした声の発せられた情況や感情とともに、言葉の有り様を正確に写し取ることができたのではないか。

話を戻そう。雪かきの作業のなかで、主人公は男たちの体と溶け合い一つになる。だが雪のほうもまた、街と一つになる。大量の白い雪はうねりながら屋根と屋根をつなぐ。屋根の上で雪かきをしながら周囲を見ると、白い大地が果てしなく拡がっているようだ。「大地が日頃の呪縛《じゅばく》を解かれて、空の動きに応えて自由に波立ちはじめたように見え、心にぎわしい眺めだった」(18ページ)。もちろん雪は固形物だ。だがその大きな拡がりが波立っているとき、その光景はまるで、海のうねりのようにも見えてくる。時間のなかに固定された流体。ならばその下でうずくまるように暮し、ひたすら春を待つ人々は、さながら海の生き物か。「雪の下の蟹」というタイトルには、そうした意味が秘められている。そして主人公は蟹の甲羅のような、自意識という固い殻を破って外に出ることができるのだろうか。

その答えは、すでに作品に書き込まれていると思う。「そして雪の中を通り過ぎる者は、人であろうと泥まみれの犬だろうと、等しく体温の何がしかを、融けていく雪に吸い取られる」(48ページ)。人は世界と感応せずに生きることはできない。自意識などは幻に過ぎないのだ。やがて主人公は大学教師を辞め、言葉を介して内と外の境界の揺らぎや曖昧さを探求する小説家となるだろう。ごく初期からすでに、古井由吉は自我を前提とした近代小説の先にいたことがわかる。

参考文献
古井由吉『雪の下の蟹・男たちの円居』講談社文芸文庫、一九八八年。

吉田健一「金沢」――金沢にはチョコパフェがない

金沢に住んでいると、ときどきびっくりするようなことがある。妹が「チョコパフェを食べたい」と言い出したときもそうだった。そんなもの、どの喫茶店やファミリーレストランでもあるに決まっている。高校時代の僕もそう思い込んでいた。

でも、これが全然ないのだ。中心街である片町の喫茶店を見て回っても、そもそもパフェがない。あってもチョコパフェがない。どうして。さんざん歩いて、どうやらこの街にはチョコパフェを食べたいと思っている人が一人もいないらしいことに気づいた。恐い。

あるいは中華料理もそうだ。金沢には「8番らーめん」という人気のチェーン店があるのだが、食べてみても、微妙に納得できない。なんというか、中華スープに浸ったうどんみたいなのだ。いや、これはこれでおいしいんですよ。でも、ギリギリ日本語が通じるかどうかという、店員が中国人ばかりの店で出るあの中華感がまったくない。

仕方がないので、僕はわざわざ中心街まで自転車で出かけては、数少ない本格中華の店で餃子だけ頼んで食べたりしていた。なにしろお金がなかったんだよね。でもこの妙な注文の仕方をする高校生に店員のおばちゃんは冷たくて、「なんで餃子だけ頼むの？」なんて叱られた。辛い。

　もちろん八〇年代の当時と今は違う。数年前、高校の同窓会出席も兼ねて久しぶり金沢に戻ったのだが、まあ本当に変わっていた。中心街のデパートにはグッチやエルメスなんかのハイブランドの店が入っている。おしゃれな現代建築である金沢21世紀美術館なんか、素敵で面白くてたまらない。なんというか、だいぶ普通の都会になっていた。今ならチョコパフェだって本格餃子だって食べ放題だろう。

　けれどもいちばん印象深かったのは、金沢21世紀美術館の傍にぽつんと建っている和菓子屋だった。ここらへんはもともと県庁と金沢大学附属小中学校があったのだが、美術館を作るために取り壊してしまって、和菓子屋だけが残ったのだ。何気なく頼んだお菓子を口に入れた途端、ものすごい衝撃を受けた。ちょっと考えられないくらいおいしいのだ。

　それは、京都の料亭で昼食のお弁当を食べたときと同じくらいの驚きだった。今まで東京で食べてきた和菓子ってなんだったんだ。そのときに僕は悟った。金沢に住んでいたとき、洋風や中華風の食べ物を探して回っていた僕は愚かだった。金沢は和風の頂点にいる街の一つなんだから、黙って和風なものを食べていれば良かったのだ。

　でもまあ、高校生ならチョコパフェや餃子を食べたいよね。その年で料亭や割烹なんて行けるわけないし。和菓子もそこまで興味なかったし。というわけで、三十年も経ってから、自分は金沢の魅力に出合い損ねていたことにあらためて気づいた。

金沢から東京を眺める

一九七三年に書かれた吉田健一「金沢」も、この街にはどれだけ和風なものしかないかの記述がある。神田に住む裕福な商人の内山は商用で金沢に来て、横文字の看板が一つもないことに気づく。地元の人と飲んでいて、金沢には中華料理はあるんですか、と何気なく訊くと、「そんなものはありません」と即座に返される。そして、地元風の暮らしがここまで充実している街では、よその料理なんかには誰も興味を持たないんだろう、と一人で納得するのだ。

この不思議な街の秘密を知りたくなった内山は、犀川から上がった台地にある古びた家を手に入れ、日々を過ごし始める。とはいえずっと住むのではない。商売の合間を縫って、数日、長くて数十日をこの古都でただ過ごすのだ。短時間で通過する旅行者でもなく、長く暮らす住民でもない。こうした街との付き合い方で初めて見えてくるものがある。それは、東京とはどういう街であるか、だ。

と言うと奇妙に響く。内山は金沢を知ろうとしているのではなかったか。だが彼には、金沢の良いところも嫌なところも全部まるごと受け入れるような気持ちはない。だから、住み着いて地域の共同体に参加したりはしない。代わりに東京とは違う時間の流れ方を感じ、東京にはないうまい料理や酒を堪能し、地元の名士や宿の主人、住職などと人生や自然についての議論を交わす。そうして、東京ではこうはいかない、というものを一つ一つ発見していくのだ。

具体的に言おう。東京では便利であることや最新であること、そして外国製であることが重視される。しかし金沢にいると、それらは大して重要なことではないと気づく。「冷暖房完備や極彩色の家具に現《うつつ》を抜かすのから覚めればやはり絵や家財道具が欲しくなり、その家財道具も人が使い込んで落ち着いた感じのものが好きならば仕事に熱心な骨董屋が相談相手になってくれる」(19ページ)。

骨董屋の持ってくる家財道具はもちろん古い。だがその手触りや色合いには、最新だったり輸入品だったりするものにはない味わいがある。刺激はなくとも安らぎはあるから、暮らしのなかにしっくり馴染む。しかも部屋を見回してみて、奇妙な具合に目立つこともない。だから神経が安らぐ。だいたい、家財道具に便利さや刺激を求めるなんて、おかしなことなのではないか。

そうした刺激を求める心の裏には、人間の手で時間をどんどん先に進めたい、という欲望がある。だから広告を打つ。新製品を売り込む。そうした広告を見ていると、自分が既に持っているものがつまらなく思えてくる。だから、充実して生きるには、広告を無視する必要があるのだ。「昔は広告なんていうものはなかった。昔はなかったものにどの程度に影響されずにいられるかで人間の生活の中身が決るのかも知れません」(97ページ)。

独自の生命を持つ街

時間は意図的に経たせるものではなく、気づけば経っているものだ。東京には意図的な時間しかないが、金沢には自然な時間がある。街を貫く二本の川は、そのことを思い出させてくれるだろう。「犀川が流れるのを見ていると少くともこの町にいる人間が時間をたたせるのではなくてたつものであることを知っていてその時間が二つの川とともに前からこの町に流れているという気がした」(43ページ)。

太平洋戦争のときに空襲で焼かれ、そのまま何度も立て替えが続く東京の家々には魂が宿らない。それはそのまま、物であるだけだ。だが空襲のなかった金沢で、ゆっくりと流れる時間を過ごしながら、人間とともに生きてきた家はだんだんと独自の生命を持つようになる。「金沢では犀川の向こうの家がこっちの家に話し掛けていた」(45ページ)。なぜそうなるのか。内山にとって、家に魂が宿れば、独自の意識を持つのも当然のことだからだ。だから人が家を意識するのではなく、家が人を意識し、ついには人に話しかけてくるまでになる。

こうして人と物の境界は不明確になる。家だけではない。木々も話しかけてくる。人は木々と親密な会話を交わす。「木は実際にその葉が擦れ合うだけで我々に話し掛けてその時に木が何と言ったかは木と話し掛けられた人間しか知らないことである」(44ページ)。東京で木の声が聞こえないのは、人工的な時間に追い立てられる我々が、人は人、物は物、という便宜的な見方を捨てられないからだ。

現実と地続きの夢空間

物が物であるまま生命を帯び、時間のなかをたゆたう。その象徴が、出入りの骨董屋が見せてくれた宋の青磁の焼き物だ。碗の底に沈んだ紅は、固形物でありながら命を持って揺らめく。ただの土が、そのまま別天地を孕む。ならば、物質でありながら同時に命を持つ、というこの青磁の碗は書物の比喩でもあるだろう。木から作られた紙に記された黒い染みを辿っていくと、我々は別の時代、別の場所へ誘われる。そしてそこで確かに、生きた生命と出会い、その感触を味わう。

だから、碗は書物であり、金沢という街もまた書物なのだ。そしてそこでは、人は固有性を失い別の人に変化し、金沢にいながらにして古代ローマに、そして李白のいる中国に飛ぶ。物理的には人は一度に一ヶ所しかいられないが、文学では自由自在だ。その情況を現しているのが、本作にも登場する忍者寺である。「上に行く積りで階段を登って行くとそれを登り始めた場所に戻って来たり二階にいる気でいたのがいつの間にか変って三階か四階の物見櫓だったりする」(71ページ)。

その寺を巡ったあと、内山は様々な時空をさまようことになる。酒を飲み、金沢のひたすらうまい料理を食べながら、今お酌をしてくれている女は誰だろう。あるいは過去に自分が愛した女が全員融合した存在なのだろうか、と思う。仙人の絵を見れば、その仙人が絵から出てきて挨拶するのは、物理的な次元にこだわらなければむしろ当然のことだろうと考える。今目の前にいる店の主人が他の主人二人と重なる。「内山は主人が別人であることを除けば前にもそうして三人で飲んだことがある気がした」(159ページ)。

ここまでくれば、もはや金沢は実在の都市ではない。人を焦らせるだけの東京とは違うすべての場所、そしてすべての時間であるだけだ。そして金沢は、イスマイル・カダレの『夢宮殿』のように、不定形に蠢きながら、様々な時空に我々を連れて行く。だがこの吉田健一の「金沢」が優れているのは、作中の金沢がそうした夢空間でありながら同時に、確かに金沢だ、という感触を持ち合わせていることだ。雨に濡れた犀川大橋の鉄骨の煌き、どこまでも続く瓦屋根の連なりの描写には、確かに金沢の匂いが封じ込められている。

実はこの忍者寺は当時の僕の家の近所にあって、一度友人と行ったことがある。案内係の僧侶に連れられて館内を見て回ったが、とにかく普通の観光地、という感じだった。もちろん、隠し扉なんかの仕掛けは面白かったけど。最後に「どちらから来られましたか」と訊かれて、「すぐ近所です」と答えたら、すごく変な顔をされてしまった。日本全国の観光地同様、地元の人はめったに来ないらしい。だろうね。でもだからこそ、吉田健一の幻視力のすごみが今の僕にはわかる。あーあ、また金沢行きたくなってきたなあ。

参考文献

吉田健一『金沢・酒宴』講談社文芸文庫、一九九〇年。

2 ロサンゼルス

プロローグ――アメリカの自動車教習

ロサンゼルスに住みだしたのは二〇〇一年の八月だ。大学院でアメリカ文学を学ぶことになったのだが、様々な困難が僕を待ち受けていた。まず交通手段だ。ロサンゼルスには公共交通がほとんどない。電車の路線はごく少ないし、バスに乗ったら、本当にいつ着くかわからない。

結局サンタモニカ近くの海のほうに住むことになったのだが、どうしても車で通う必要があった。だが問題があった。当時三十歳を過ぎていたのだが、僕には免許がなかったのだ。文学者にはそんなもの必要ない、と思っていたのだが、冷静に考えれば、東京暮らしで車が必要じゃなかっただけだ。

しょうがないから急遽、日本で近所の自動車学校に通った。中学で受けた保健体育みたいなダラダラした授業に大学生たちと出るのは、それはそれで楽しかった。S字クランクも問題なかったし。ようやく日本の免許は取ったが、まだ問題は残っていた。

当然のことだが、アメリカは右側通行だ。日本とは違う。さらにロサンゼルス特有の問題もあった。みんなが使うのは基本的には高速道路で、下の道は最短距離しか走らないのだ。ぜんぶ下の道で行ったら、学校までかなりの時間がかかってしまう。どうしよう。

そうだ、とひらめいた僕は職業別電話帳を開いた。あった。「運転教えます。日本語可」。これこれ。カリフォルニア州の免許が欲しかった僕は、すぐに電話をかけた。やっぱり国際免許だけより、地元の免許もある方が安心だよね。

ちなみに、アメリカでは自動車教習所はない。あとでわかったのだが、アメリカの人たちにとって、自動車を運転することは自転車に乗るみたいなもので、巨大なスーパーの駐車場やなんかで、親などに個人的に教わるものらしい。じゃあ、この国の誰も教習所に行ったことはないのか。

もちろん家族や友人だけでは不安だ、という人もいる。そんなとき、運転学校の先生に出張講座をお願いするわけだ。とはいえ、塀に囲まれた安全なコースなんて存在しない。だから一時間目でいきなり路上運転である。

本題に戻ろう。しばらく経って、僕の家の前にやって来たのは韓国人の先生だった。どうして。そして先生はこう言い放ったのだ。「君は若いので知らないだろうが、朝鮮半島は昔、日本だったんだよ。そのときおじさんは親切な軍人さんから、トラックの乗り方を教わったんだ。だから大丈夫！」

え、おじさん何歳なの？　それって、ものすごく前の話だよね。しかもこれから乗るの、トラックじゃないんですけど。でもやる気満々のおじさんを前にして、やっぱり止めます、とも言えない。さっそくおじさんが乗ってきた教習車の運転席に僕は乗り込んだ。

日本と同じく、教習車の助手席にはブレーキが付いていた。危ないときにはおじさんがブレーキを踏んだり、右からハンドルに飛びかかってきて、車をコントロールするという仕組みだ。僕はおじさんの指示通り、なんとか大通りに出て調子よく運転を続けた。

けれども問題が発生した。おじさんの普段の会話は日本語なのに、大事な指示だけがことごとく英語なのだ。しかも韓国訛り。こんな感じだ。「じゃあ、まーっすぐ行って。そうそう。レンチェン！　ああ早く早く。じゃそこの角をトュンライ！　ちゃんと曲がって！　過ぎちゃったよ。ちゃんと聞いてんの！」

いやいや。大事な指示だけ日本語の方がまだ良いんですけど。しばらくするうちに、おじさんの用語がわかってきた。レンチェンはlane changeで車線変更のこと。トュンライはturn rightで右に曲がれ、トュンレフはturn leftで左に曲がれだ。

だが、免許取り立ての僕は運転中、完全にテンパっていて、英語のリスニング力が極端に落ちている。というか、なんで日本語教習をお願いしたのに英語なんだ。しかもおじさんは基本、温厚なのだが、実はかなりせっかちで、突然イラッとする。とにかくプレッシャーがすごい。

指示に従えずに何度も怒られ、ついでに待ち合わせに三分遅れてもっと怒られて、そうこうしているうちに、ようやくアメリカでの運転にも慣れてきた。で、高速教習に挑戦した。

おじさんが一緒に乗っているのをいいことに、僕はグングンとスピードを上げる。アメリカの高速道路はタダなぶん、整備が行きとどかずにガタガタしている。周囲の車も、やっぱりろくに教習を受けたことのない人の車ばかりで、右にウィンカーを出して左に動くことなんてしょっちゅうだ。おまけに車検もないから、ボロボロのやつも多い。

そんなワイルドな道を快調に飛ばして、海のほうから三十分かけて、サウスセントラルの出口までやって来た。学校までもうすぐだ。「さあ降りて」と言われて出口から坂道を下って行ったのだが、感覚がおかしくなっていたのか、ちゃんとブレーキを踏んだつもりが、全然減速できていなかった。

「こわいこわいこわいこわい!!!　ブレーキ踏んでー!!!」とおじさんは絶叫していた。よっぽど恐かったのだろうか。そのとき僕は思った。おじさん、ちゃんと日本語でしゃべれるんじゃゃん。

ジェームズ・M・ケイン『郵便配達は二度ベルを鳴らす』
――カリフォルニアの緑の寿司

ロサンゼルスに住んで気づいたのは、自分がアジア人だということだ。そんなの当り前だろう、と思うかもしれない。僕も日本ではそう思っていた。でもそういうことじゃないんだな。

南カリフォルニア大学の英文科の大学院に入り、最初に出会ったのが指導教員のヴィエト・タン・ウェン先生だった。さっそく面談してもらい、飯でも食おう、ということになって向かったのがカフェテリアだ。

そこではピザやサンドイッチ、ハンバーガーといったいかにもアメリカンな食べ物と一緒に、巻き寿司パックが売られていた。二人でアボカドたっぷりのカリフォルニア巻きを買い、さあ、ものすごく緑色のお寿司を食べよう、というところで、ヴィエト先生が不思議なことをし始めた。

割り箸を割ったかと思うと、それをシュッ、シュッっと互い違いに擦り合せ始めたのだ。そしてバリみたいなものをきれいに落としたのである。いや、もちろん日本では普通のことですよ。でも、アメリカまで来て、まさか自分の先生がそうするとは思わなかった。そのときに気づいた。これがアメリカなんだ、って。日本ではサリンジャーやフィッツジェラルドなどのおしゃれな文学に憧れ、そのあまり本場まで来た僕にとって、先生の実にアジアっぽい仕草は衝撃だったのだ。

ヴィエト先生は言った。コージ、ロサンゼルス空港に降り立った一歩目で、君はもうアジア系移民になった。だからそのつもりで学び、生きてほしい。えーっ、僕はどこに行っても日本人なんじゃないの。

思えば、それはベトナム難民としてこの国にやって来たヴィエト先生の人生を賭けた言葉だった。彼は一九七一年にベトナムで生まれ、七五年、南ベトナム政府崩壊とともに脱出、そのあとカリフォルニア大学バークレー校を経て、若くして大学教師になった。

彼は、アジア人としてアメリカに生きることの意味を僕に教えてくれようとしていたんだと思う。アメリカではベトナム人と呼ばれ、ベトナムに行けばアメリカ人と言われる。五歳児程度のベトナム語しかできないが、どんなに努力してもアメリカでは、完全な国民としては認められない。

彼を通して、僕は複数の国家や言語のあいだにいる人たちに興味を持つようになった。そして日本ではなく、アジアという枠組みで自分を捉えるように変わっていった。

そこまで英語が得意なわけじゃない僕を、他にもいろんな人たちが助けてくれた。もちろん日本人留学生、そして韓国系や中国系の学生たち。中南米系や黒人の学生にも親切にしてもらった。ユダヤ系の人たちが、見た目はまるで白人なのに、すごく疎外感を抱いていることも目の当たりにした。

白人男性の作品に憧れて留学したのに、気づけばマイノリティーの人々と次々に出会い、仲間としてつき合う日々を送るようになった。ロサンゼルスには三年いて日本に戻ったけど、ある意味、心はまだあの場所にある。

そのあと、ヴィエト先生は『シンパサイザー』という小説を書き、ピュリッツァー賞を獲って突然、有名人になってしまった。日本語訳が出たんでさっそく読んだのだが、やっぱり、ベトナム戦争を背景に、あいだにいる人の苦悩について書いていた。僕はなんだかとても懐かしかった。

白人とそうでない人たちの境界線

さて、ジェームズ・M・ケインの『郵便配達は二度ベルを鳴らす』だ。ロサンゼルス文学の古典と言われるこの作品は、白人とそうでない人たちの境界線の物語である。フランクは逞しく金髪の若者で、フラフラと旅をして回っては、いろんな場所でちょっとした仕事をして暮らしている。メキシコとの国境地帯で勝手にトラックに飛び乗った彼は、見つかって道端で下ろされる。

そのときにはなんとかロサンゼルス郊外まで北上していた。彼が目を付けたのはちょっとした安食堂だ。ギリシア人の小男がやっているここに入った彼は、金もないのに次々と注文をする。そのときには、ちょっと皿洗いなど手伝えば切り抜けられるだろう、なんて考えている。

けれども彼の気持ちを変えたのは、コーラの存在だった。どうしてこの店に、こんなにセクシーな白人女性がいるのか。聞けば彼女はアイオワ州デモインの出で、地元の美人コンテストで優勝し、一旗揚げようとしてハリウッドに来た。だがちょうどサイレントとトーキーの切り替えの時期で、女優になり損ねたのだ。

仕方なく食堂のウェイトレスをしていた彼女を救ったのが、このギリシア人だった。彼の妻となることでコーラは貧しさから逃れられた。けれども今は後悔している。何しろ彼を生理的に受け付けられない。まだある。彼の子を産んでしまえば、自分は白人から滑り落ちて、有色人の仲間になってしまうのだ。

人種を巡る夫婦の亀裂の真ん中に現れたのが、白人の流れ者であるフランクだ。コーラとフランクはたちまち愛し合い、ギリシア人を始末することを計画し始める。風呂場での一度目の試みは失敗したものの、サンタ・バーバラで成功し、運良く無罪を勝ち取る。

けれども運は続かなかった。いつ裏切るかわからない、と互いを疑いだした二人は苦しい日々を送る。結婚することで事態を打開しようとするが、交通事故に遭って、すべてを失ってしまう。

白人でなくなることの恐怖

この作品の核になっているのは、白人でなくなることの恐怖だ。これは日本に住んでいるとわかりにくい。十九世紀半ばの奴隷解放宣言以降も延々と人種差別が続いてきたアメリカ合衆国では、白人であることがそのまま、まともな人間であることを意味してきた。だからこそ、多くの移民たちが差別と低賃金労働に耐えながら、なんとか白人の仲間に入れてもらおうと死にものぐるいで努力をしてきた。イタリアやギリシアなどの南欧系やアイルランド系の人々が白人と認められるようになったのはようやく、第二次大戦後である。

それに続いてアジア系の人々も上昇していった。だが、なかなかそこに入れない人々もいる。中南米の文化を保ちスペイン語を話し続けるラティーノやラティーナの人々、そして黒人たちである。

言い換えれば、英語を話すイギリス系を中心に白人の輪が拡がっていて、その内側に入れてもらおうとして多くの人々が争う、というのが、今も昔も変わらないアメリカの在り方だ。すなわち、基本原則として社会に人種差別が織り込まれているのがアメリカなのだ。だからこそ、黒人への過酷な差別がなくならない。なぜなら、黒人は人種ではなく、「白人ではない人」とされた人々のことだからだ。そこには科学的な定義など存在しない。ただ、排除してもかまわない人たちとして社会的に設定されているだけだ。

この点では、黒人たちはサルトルの言う、ヨーロッパにおけるユダヤ人に近い。ユダヤ人たち相互にはほとんど共通点はない。ただ、キリスト教徒たちから見て、自分たちとは違う人々として歴史のなかで定められてきただけだ。

もちろん、こうした白人という概念や差別は端的に間違っている。アメリカの憲法でも否定されているし、多くの人々が日々、廃絶を求めて闘っている。けれども、アメリカ建国前から数百年も続いてきた負の歴史はなかなかぬぐい去れない。

境界線の三人

話を戻そう。『郵便配達』の舞台はメキシコとアメリカの国境にほど近い領域である。一八四八年、米墨戦争でメキシコの北半分はアメリカ合衆国に奪われた。このとき、カリフォルニア、アリゾナなどの州がアメリカに力で併合されたのである。そしてもとからメキシコ人たちが住んでいた場所に白人たちが入植してきた。

だからこそ、コーラは自分がメキシコ人と間違われることを極端に嫌う。「髪が黒くて、見かけもそれっぽいかもしれないけど、あたし、あんたとおんなじくらい白いから」（11ページ）。そしてフランクのほうも、彼女の目は青い星のようだと思う。けれども、白人とそれ以外の境界線は、特にこの場所では曖昧だ。白人であることがまともな人間であることの定義だとしたら、それ以外は動物に近い存在、ということになる。そしてまさにコーラは動物に例えられてしまう。フランクとの初めてのキスで「嚙《か》んで！　あたしを嚙んで！」（20ページ）と叫び、血を流して喜ぶ彼女のことを、彼はピューマのようだと感じる。

コーラ自身もそれはわかっている。そして女優になれなかった自分はハリウッドでは猿にも劣ると言う。「猿にも及ばないわね。だって、猿は人を笑わせられるもの。あたしにできたのはただ人をムカつかせることだけだった」（25ページ）。

フランクはどうか。背が高くて体格がよく、金髪で肌の白い彼は理想的な白人だが、経済力がない。もともと根無し草の彼は、一つのところに落ち着いてしっかりと生活を築き上げられない。コーラは彼の不良っぽさに惚れているが、同時に安定した中流の暮らしも望んでいる。

そしてギリシア人だ。小柄でぶよぶよと太り、脂ぎった真っ黒の髪に臭い香油を塗っている彼は、アメリカ国籍こそあるものの、単語の綴りも覚束ない。しかし持ち前の忍耐強さでしぶとく稼ぎ、今やスーツを何着も持っているいっぱしの小金持ちだ。

こう見てくると、三人とも白人とそれ以外の境界線に位置することがわかる。そして他の人を押しのけて、なんとか白人のなかに入れてもらおうとしてあがくのだ。そこでコーラが思いついたのがこれだ。ギリシア人を殺して金と店を奪う。そしてフランクと結婚して彼との子供を産む。こうすれば、血統と経済力の両方が手に入る！

もちろんそううまくはいかない。ギリシア人は酒を飲み、はしゃいでサンタ・バーバラの崖の上で大声を出して木霊が返ってくるのを楽しむ。そして背後から近づいたフランクは彼をスパナで殴り殺す。ようやく死んだ、とコーラとフランクが思ったところで、ギリシア人の声がきれいに戻ってくる。

そしてその声同様、不安や恐怖は常に二人を追ってくる。青かったコーラの目は今や真っ黒だ。そして彼らは破滅する。もちろん、白人であろうとすることで人間の心を失ってしまった彼らに、平安などあろうはずもない。

参考文献
ジェームズ・M・ケイン『郵便配達は二度ベルを鳴らす』田口俊樹訳、新潮文庫、二〇一四年。

レイモンド・チャンドラー『大いなる眠り』――迷路としての都市

ロサンゼルスに行って思ったのは、街という言葉が示すものが日本とはまったく違う、ということだった。たとえば、最寄りにスーパーがあるとする。日本だったら、すぐそこにスーパーが見えていたら、まあ三分ぐらい歩けば着くんじゃないかな。でも僕が住み始めた家から、たった道二本分離れたスーパーまで歩いて行くのに十五分ぐらいかかった。しかも、僕以外に歩いている人なんてほとんどいない。

どうしてこうなのか。ロサンゼルスが、車の普及後に発展したからだ。だから全域が、まるで千葉の湾岸地帯みたいに大ざっぱなレイアウトなのだ。まず全体のスケール感が違う。関東地方ぐらいの広さの場所に、いろんな性格の街が散らばっている。ちょっと隣の街に行くのも高速道路に乗るのが普通だ。だって、大学も車で通うんだからね。だから朝夕はラッシュで渋滞してしまう。

これにくらべると、日本の街は本当に人間の体のサイズが基準になっているんだなあ、と思う。山手線の内側の面積なんて、実はすごく小さい。だからがんばればどこでも歩いて行ける。ロサンゼルスではがんばっても着かないし、そもそも危険すぎて歩けない場所も多い。今まで自分は江戸時代のフォーマットのなかで生きてきたんだな、とロサンゼルスで実感した。

これは良い悪いではない。どちらかといえば、僕は人間の体のサイズに馴染んだ街のほうが好きだ。だから、ちょっと東京の繁華街っぽいサンタモニカ地区が気に入っていた。商店街を歩いて、気になった店をひやかし、疲れたらカフェに入り、道行く人の顔を眺める。けれども、残念ながら、というべきか、そういうのはロサンゼルスの本領ではない。

たとえば、アメリカなら店の看板は英語、と思うじゃないですか。でも違うんだな。巨大な韓国人街に行けば、ハングルしか書いてない店も多い。大部分がメキシコ系である東ロサンゼルスでは、英語よりスペイン語のほうがよっぽど勢いがあるし、中華街ではやたらと安い店の脇で洗濯物がはためいている。出身国や文化、言語にそって巨大都市圏が細かく別れていて、どんなマイナーな集団も集まって住んでいる。エチオピア人街の隣には、エリトリア人街まである。

だから、ロサンゼルスには統一されたイメージがない。ダウンタウンのビル街が有名でも、その周りにはラティーノばっかりの商店街や、中国系の低賃金労働者たちが服をせっせと作っている工場が密集していたりする。ほんの近くにまるで別世界が拡がっていて、互いの交流がまるでない、というのがロサンゼルスの特徴だろうか。

特に圧倒されるのは貧富の差だ。たとえばビバリーヒルズに行けば、本当に宮殿のような、学校の体育館何個分もある白い豪邸が建ち並んでいる。そこから二十分ばかり高速道路を行けば、ギャングスタ・ラップで有名なサウスセントラルの黒人居住区だ。一九九二年のロサンゼルス暴動から十年くらい経っても、まだ燃えたまま放置されている建物もあったし、道路の舗装がバリバリに割れていたり、ちゃんとゴミの回収が来ていなかったりする地区もある。

たぶんロサンゼルスに住んでいる人はみんなこのことを知っている。知っているのに、公共投資が全体に回っていない。社会の富は十分以上にあるに決まっているだろうに。おそらくこれは、我々、という感覚を作ることにアメリカが苦戦しているからではないか。仲間だと思えばこんなに放っておくことはできまい。けれども実態は、互いにあいつらと思い合っている。金持ちは自分が儲けることばっかり考えやがってと貧しい者たちは怒り、貧乏人は怠けてるのに権利だけは主張する、と裕福な者たちは見下す。果てしない対立は絶望を生み、絶望は犯罪を生む。この悪循環から抜け出す道はないのか。

黒人居住区で見た光景

一つヒントがある。僕が黒人居住区の祭りに参加したときのことだ。やってきた地元の議員に、君はここに住んでるのかと言われ、そうです(ウソ)、と笑顔で答えて握手したりしたあと、青年コーラス隊の歌が始まった。やっぱりうまいな、と思って聞いていると、あるおばちゃんが挨拶に立った。どうやら地元では偉い人らしい。

彼女は言った。この子たちはドラッグもやらず、ギャングにも入らず、歌という自分が打ち込めるものを見つけて一生懸命がんばってきました。クラスの仲間は犯罪に走る子も随分いるのに。そして今、努力の成果をみなさまにお見せできたのです。本当に尊敬すべき子たちだと思います。だから皆さん、温かい拍手をもう一度どうぞ。

僕はびっくりした。田舎のPTAみたいなノリなのに、挨拶の内容はびっくりするほどワイルドだ。そのとき、日本ではギャングスタ・ラップの世界は怖い物見たさで楽しむファンタジーだけど、この人たちにとってはただの重い、あまりにも根深い問題をはらんだ現実なんだ、ということが腑に落ちた。なんだかかっこいい、なんて言っていられるのは、遠くの安全地帯で護られて生きている人たちだけなのだ。

けれどもここでは、努力があり、愛があり、たぶん裏切りや苦しみもたくさんあって、それでもなんとか成長しようと努力している子供たちがいる。そしてその姿を見守りながら、心から支援する大人もいる。要するにみんな普通のちゃんとした人間で、たまたま奴隷制後という悲惨な歴史のなかに生まれて、精一杯もがいているだけなんだ。このことに気づいただけでも、僕は留学した意味があったと思う。

ロサンゼルスで西部劇

　レイモンド・チャンドラーの『大いなる眠り』も巨大な貧富の差が前提となっている。依頼人のスターンウッド将軍の先祖は、かつてメキシコ戦争で士官をしていた。一八四六年から二年間続いたこの侵略戦争で、アメリカはメキシコから国土の北半分であるニューメキシコとカリフォルニアを奪い取った。すなわち、現在のロサンゼルスの街を築いた張本人の末裔というわけだ。

　だが今や、大金持ちのスターンウッド家は崩壊の危機にある。倒れてきた馬のせいで下半身不随となった将軍は体が弱り、温室で暮らすことでかろうじて命を長らえている。長女はギャンブル狂いでマフィアの賭場に出入りし、次女は薬物中毒で、ときどき激しい暴力衝動に駆られるが、そのあいだの記憶すらない。

　マーロウへの依頼内容は、次女への脅迫相手を排除することだった。だがその相手は何者かに射殺され、スターンウッド家のお抱え運転手も車ごと海に飛び込んで死ぬ。なかでももっとも気になるのは、長女の夫であるラスティー・リーガンだ。元アイルランド義勇軍の士官だった彼は祖国にいられず、アメリカに不法入国したあと、酒の密造にたずさわっていた。

　突然失踪した彼を探してほしい、と将軍にはっきり指示されないことにマーロウは疑問を抱き、独自に嗅ぎ回る。何しろ、リーガンこそ将軍がいちばん信頼していた人物なのだから。すると、マーロウが行く先々でポルノ業者や詐欺師など、いかがわしい周辺人物たちが次々殺されていく。一体その裏には何があるのか。そしてまた、リーガンは果たして生きているのか。

『大いなる眠り』には基本的にアウトローしか出てこない。金持ちであるスターンウッド家の人々は平気で法を無視する。そして金を摑もうとする男たちも同様だ。彼らにとって、圧倒的な貧富の差を乗り越える方法は犯罪しかない。そしていつも捜査が強引で、ときに暴力もためらわないマーロウだってそう遠くはない。場所はロサンゼルスという都会だが、やっていることは西部劇の保安官と変わらず、犯罪者たちを超法規的に懲らしめている。

マーロウたちの職業倫理

それでは彼らは全員同じなのか、といえばそうではない。マーロウには確固たる職業倫理があるのだ。彼は言う。

「好きでやってるわけじゃありません」と私は言った。「しかしそれ以外に何ができるというんです？　私は依頼を受けて仕事をしています。そして生活するために、自分に差し出せるだけのものを差し出している。神から与えられた少しばかりのガッツと頭脳、依頼人を護るためにはこづき回されることをもいとわない胆力、売り物といえばそれくらいです」(179ページ)。

誰に評価されなくとも、自分が持てる最高のものを相手に差し出す。常にベストを尽くし、納得できる結果が出なければ報酬を返しさえする。相手が銃を持っていなければ、自分も銃を使わない。しかも職務上知り合った女性とは簡単には寝ない。なんだか、マックス・ウェーバー『プロテスタンティズムの倫理と資本主義の精神』のなかで、神の国に徳を積もうとがんばるアメリカ人の典型みたいだ。

だから将軍もマーロウも、リーガンに一目置く。彼は単なるマフィアではない。祖国を解放するために闘い、アメリカで違法な稼ぎをしながら、おそらくそれをアイルランド革命に役立てようと考えている。他にも、地方検事のワイルドについて「彼はアイルランド人特有の、裏のない大胆な笑みを身につけていた」(180ページ)なんて表現も出てくる。チャンドラー自身の母親がアイルランド系移民であることを考えると、彼はこうした人々に親近感を持っていたらしい。

だが、都市はこうした倫理を破壊してしまう。スターンウッドの娘たちは次々と問題を起こす。チャンドラーの他の作品を読んでも感じるように、まるでマーロウは巨大で邪悪な迷路をさまよっているようで、一つの問題を解決すること自体が別の問題を引きおこす。マーロウの騎士道的な倫理は人間サイズだ。だがある規模を超えた街は、人をひたすらすり減らす。いくらそのなかでもがこうが、最終的な着地点などありえない。『大いなる眠り』を最後まで読んでも、すっきりする結論などない。悪は遍在し、しかも増えも減りもしないのだ。

そして現代の都市に生きる我々だって、マーロウとそう遠くないのではないか。情況はいかに厳しくとも、目の前のできることに誠実に取り組み、今日一日、生き延びられたことに感謝する。マーロウの姿には、そうした地道な知恵が感じられる。

参考文献

レイモンド・チャンドラー『大いなる眠り』村上春樹訳、ハヤカワ・ミステリ文庫、二〇一四年。

チャールズ・ブコウスキー『パルプ』――生を慈しむ

僕が入学したのは、南カリフォルニア大学英文科の博士課程だ。高速を降りてちょっといくと、サウスセントラルという黒人居住区の真ん中に、レンガ色の美しいキャンパスが忽然と現れる。どうしてここにあるのか。それは単純で、大学ができたころはこの地区は高級住宅街だったからだ。けれども南部から黒人たちが移住してくるにつれて、白人たちがどんどん出ていってしまった。しまいには、黒人とラティーノ、そして酒屋をやっている韓国人しかいない地区になった。

それでもキャンパスに膨大な投資をしてきた大学は動かなかった。移転する代わりに強力なキャンパス警察を導入して治安を護り、周辺地区を整備し、スポーツが得意な黒人の生徒たちに奨学金を出して大学に受け入れた。こうして、金持ち大学と貧困地区の奇妙な共存関係ができた。一九九二年のロサンゼルス暴動でも、黒人男性に暴力を振った警官が全員無罪、という不当な判決に怒り狂った人々がキャンパスの両側の道を一斉に走っていったのに、キャンパスには手を出さなかったらしい。

さて、クラスには僕以外にも、外国から来た学生がいた。でも彼らは留学生じゃない。

留学生はたいてい、卒業すれば本国に帰る。だが中南米やアフリカ、アジアから来た学生たちはアメリカで学位を取っても帰らない。アメリカで教職についたりして、そのまま定住するのだ。つまり移民である。僕も周囲の人々にさんざん言われた。どうして日本に帰るの、せっかくアメリカに来られたのに。ここは安全だし、医療水準も高いし、仕事もある。たくさんのチャンスもある。せっかくアメリカで学生になれたのにもったいないよ。

クリスも僕にそう言っていた。大学を出てそのまま進学した、二十代の学生ばかりのなかで、三十代のクリスと僕は完全に浮いていた。クリスがアメリカにたどり着くまでの話がすごい。もともとナイジェリアで作家になり、国内で数冊の本も出していた彼は、反政府的な演劇をした、という理由で政府に捕まってしまった。牢獄で劣悪な環境におかれ、甲状腺がおかしくなった。太ってしまったのもそれが原因だと言う。

ようやく釈放され、イギリスに渡って教師をしていたが、ある日帰ってくると、ロンドンの自宅アパートの周囲が封鎖されている。どうしたんだ、と聞くと、殺人だと言われた。自分の部屋の真下に住む黒人男性が、何者かに殺されたらしい。そこでクリスはピンときた。おそらく、政府に都合の悪い発言を続けている彼を誰かが暗殺しに来て、部屋を間違えたのだ。彼はそのまま家に戻らず、ツテを頼ってアメリカに脱出した。そして今、学生をやりながらアメリカ国籍を取ろうとしている。

政治亡命をした人の話を聞いたのは初めてだったから、僕はびっくりしてしまった。当時はアフリカの歴史なんてよく知らなかったから、クリスが属するキリスト教系のイボ族が、政府を牛耳るイスラム系のヨルバ族やハウサ族と対立しているなんてこともわからなかった。クリスはナイジェリアでもトップクラスのインテリで、ロラン・バルトやジュリア・クリステヴァなんかの思想家の話を混ぜながら授業で発言する。だからあんまりものを知らない周囲の学生との差は歴然としていた。

結局、彼は卒業後『グレースランド』という本でペン・ヘミングウェイ賞を獲り、いちやく有名作家になり、今はノースウェスタン大学で教えている。クリス・アバニ(Chris Abani)で調べればすぐわかる。すごく偉くなっちゃったな。でもクリスと言えば、彼の運転の荒さを思い出す。ボロボロの緑のBMWに乗っていた彼は、高速だろうが下の道だろうがとにかく飛ばす。一度なんて、一般道を送ってもらっていたのだが、道が下っているのに彼の車はそのままジャンプしていた。「もっとゆっくりー」と僕は何度も叫び続けたが、全然聞いてくれなかった。

アメリカで死んだ僕

あのころのことを考えると、僕にもアメリカに残る道があったのかな、とも思う。でもとにかく三年間ずっと毎日、日本に帰りたかった。外国に移住するとき、人は一度死ぬ。

アメリカの人たちはナイジェリアや日本のことなど知らないし、基本的に興味もない。だから、アメリカに来るまでの体験を語っても、誰もちゃんとわかってはくれない。おまけに彼らは英語しか知らないから、日本語の世界で何が起こっているかなんて気にしない。というか、彼らにとっては、そんな世界は事実上、存在しない。ああ、日本って地球の裏側にあるらしいね、ぐらいなものだ。

だから、クリスはある意味、ロンドンで一度死んだんだと思う。そしてロサンゼルスで僕は、三十歳になるまで日本で過ごした自分を葬るつもりがあるのかをずっと問われていた気がする。そうでなければ、北野武の映画『菊次郎の夏』を見て、何気ない浅草の風景に涙が止まらない、なんてことになるわけがない。結局僕は、日本での自分を生かす代わりに、アメリカでのもう一つの人生を殺すことにした。今、東京にいて、日本語でこんなことを書いているのが何よりの証拠だ。その選択に悔いはない。でも、もう一人の自分が、アメリカで違う人生を過ごしているような感覚が常にある。

同じロサンゼルスでもマーロウとは違う探偵像

チャールズ・ブコウスキーの遺作『パルプ』にも死のイメージがたくさん出てくる。チャンドラーのパロディーのようなこの作品で、ダメ探偵のニック・ビレーンに依頼してくるのは死の貴婦人(つまり死神)だし、ニックが馬券を買うときのコードネームはミスタ・スロー・デスだ。ハリウッドに事務所を構えるニックはとにかく無能で、ロサンゼルスでも最低料金の探偵だ。それでもなぜか次々と依頼が舞い込んでくる。

死の貴婦人は、書店に現れるセリーヌが果たして本物か調べてくれと言い、他の依頼主には赤い雀を探せと言われる。葬儀屋には、自分をたぶらかすセクシーな宇宙人を追い払ってくれと頼まれ、他には浮気調査も請け負う。だが、推理が苦手でツキもないニックは、まったく依頼を解決できない。それでも互いの依頼が実は互いに絡み合っていることに気づいていく。なんとかしようともがくうちに、それらは一つも解決することなく、むしろ自然に解消する。ニックの努力とは特に関係なく、だ。

チャンドラーのマーロウには作り込んだかっこよさがあった。だが、彼をなぞったニックの発言はどこか間が抜けていて、それが楽しい。たとえば依頼人とのこんな会話だ。


「俺は安くないぜ」

「いくらだ?」

「一時間六ドル」

「そんなに高いとは思えんが」

「俺には思えるんだよ」(48-49ページ)

マーロウの世界では彼のナルシシズムを壊す事態は発生しない。しかしニックは、ひたすらかっこ悪くて、そこがいい。他のブコウスキー作品同様、すごくリアルな感じがする。長年探偵を続けてきたニックは、もはや疲れ切っている。他の仕事を試そうにももう手遅れだ。そして彼は死のイメージに取り憑かれている。だからこんなことを思う。「人は死ぬために生まれてくる。どういう意味があるのか？」(20ページ)。だが彼はここから、人生に意味はない、という方向には行かない。むしろ他の動物と同じく、少しでも長く生き残ろうとしてけなげにがんばる人間全体を慈しむ。彼は生の外側、死の側からこの世を見て、あらゆる命の輝きを愛でているのだ。

そこから、ニックの徹底した平等観が生まれる。すべての生き物が死を予定されているのなら、勝者も敗者もないだろう。だからこうした会話も生まれる。ニックは依頼人である葬儀屋に言う。

「世の中、配管工がいなかったらどうなる？　配管工より大事な人間なんて思いつくか？」

「大統領」

「大統領？　それが違うんだよ、お前！　また違ってる！　あんた、口を開くたびに

何か間違ったことを言うぜ！」（１０５－１０６ページ）

確かに、大統領なんていなくたって人間世界はどうにか回る。でも配管工がいなかったら、水漏れは止まらず、トイレは壊れっぱなしだ。そして絶世の美女の写真を見るとこう思う。「こいつだって人間だ。内臓だってある。鼻毛もある。耳クソだってある。何がそんなに違うっていうのか？」（53ページ）。そのわりには、けっこう興奮したりするのもかわいい。

弱い側の目線で

だから人生には勝者も敗者もない。強いて言えば、朝目覚めて、ちゃんと靴を履けるだけで勝利だ。だから、ホームレスになった人々を敗者と見る考え方は間違っている。

もちろん、善人だって通りで寝てる奴はいっぱいいる。あいつらは馬鹿なんじゃない、時代のメカニズムに嚙みあわないだけだ。時代の要請なんてコロコロ変わるし。酷な話だ。夜、自分のベッドで眠れるだけでも、世の力に対する貴重な勝利だ。俺はまあラッキーだったわけだが、俺だってときにはそれなりに頭を使って行動してきたのだ。

でもとにかくずいぶんひどい世の中だし、俺としてもときどき、世の大部分の人間を哀れに思ったりする。（225－226ページ）

こうした、弱い人間の側に立った視線こそ、ブコウスキーの魅力なのだろう。グレイハウンドのバスに乗って全米を巡りながら仕事に就いては辞めまくる『勝手に生きろ！』、日々すり減っていく郵便局員たちを描いた『郵便局』、大恐慌時代から第二次大戦にかけてのドイツ系移民の苦しみを扱った『くそったれ！　少年時代』など、どの作品も、割を食っている人、運の悪い人、弱い動物たちへの共感と愛情に満ちている。

『パルプ』を書いているとき、ブコウスキーは白血病だった。だがそんなことはおくびにも出さず、軽い感じでふざけながら、生への慈しみを何気ない顔で彼は綴る。そこで選んだのが、子供時代に読んだ、ＳＦやミステリーなどがてんこ盛りの、大衆向けパルプ雑誌のフォーマットだった。彼はそうやって、子供のころに感じた喜びの世界を、人生最後の贈り物として我々に手渡してくれたのだろうか。

参考文献

チャールズ・ブコウスキー『パルプ』柴田元幸訳、ちくま文庫、二〇一六年。

3

吉祥寺

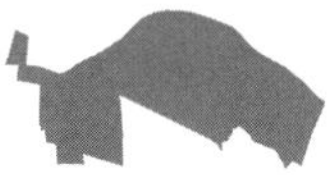

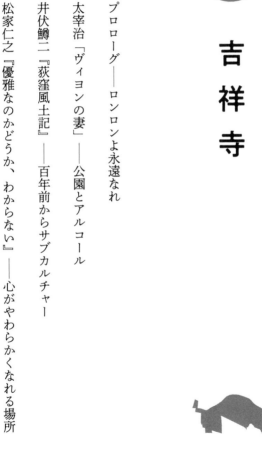

プロローグ――ロンロンよ永遠なれ

僕にとって、街と言えば吉祥寺のことだった。東京都は一つのまとまりみたいに思われているけれど、実は東西でけっこう違う。二十三区と多摩、それから八王子の三つがゆるやかにつながっているという感じかな。小平市で小中学生時代を過ごした僕には、吉祥寺は多摩の県庁所在地みたいなものだった。

四十年前の僕にとって吉祥寺は輝ける都会だった。当時の小平はのどかで、産卵の季節になると巨大なウシガエルが通学路を覆っては車に轢かれまくっているし、小学校横の森からは二十センチぐらいはありそうな緑色の蛾が飛び出すし、とってもワイルドな環境だった。でも吉祥寺まで行けば、小平にはないものがたくさんある。映画館があり、近鉄と東急のデパートがあり、アーケードにはマクドナルドもあった。

月に一回、吉祥寺まで母に連れて行ってもらうのが何よりの楽しみだった。服や靴を見たり、ソニープラザで小物を見たりする。そして最後には必ずマクドナルドでビッグマックを買ってもらった。当時五百円ぐらいした気がする。ものすごくおしゃれで、アメリカ風で、素敵だった。ソニープラザではトーキングカードという英語教材も買ってもらって、妹と全文暗記するまで何度も聞いた。英語にもソニーにも憧れた。もう半世紀近く前なのに、子供のころと基本的な価値観は変わっていないことに呆れる。そう考えると、吉祥寺こそ今の自分を作ってくれた街だと思う。

中学に上がると、吉祥寺との付き合いも変わった。井の頭線の駒場東大前にある駒場東邦に入ったので、吉祥寺は乗換駅で、毎日通ったのだ。朝は満員電車のなかで周囲の大人たちに押されて、小柄だった僕は宙に浮いたままの状態で学校へ行く。だが帰りは違う。丸井の電気売り場で出始めのパソコン（当時はマイコンと言っていた）をいじり、吉祥寺ロンロンの弘栄堂書店を見る。あまりに棚を凝視しすぎて、今でも本の配列や店内の雰囲気を思い出せるぐらいだ。ジュンク堂なんかにくらべればすごく小さかったけど、全部見て回れるぎりぎりの大きさの書店は良かった。

そのころ、授業で知った『解体新書』翻訳のエピソードがあまりに面白くて、背伸びして杉田玄白の『蘭学事始』を買ったことがある。これも弘栄堂だったかな。当時の岩波文庫の棚は暗かった。裸本に帯を巻いて、その上を透明なグラシン紙で覆っただけの装幀だった。そのグラシン紙が店頭でどんどん劣化して茶色くなっていく。だからどの本がどれかわからなくなる。そうした売る気ゼロの岩波文庫が中学生の僕にはたまらなくかっこよく見えた。

『蘭学事始』は面白い。全然オランダ語がわからないのに、そしてろくな辞書もないのに、杉田たちは根性だけで医学書を訳し始め、ついに完成させてしまう。江戸時代の日本人の気合いに圧倒された。でも、結局はその作業が楽しかっただけだろうが。フルヘッヘンドのくだりを憶えている。葉っぱを箒で掃くと庭がフルヘッヘンドする、ならば顔でフルヘッヘンドしているところはどこか、と考えて、あっ！　鼻か！と思いあたる。盛り上がっているという意味だったんだね。そしてチームで大喜び。蘭学者っていいなあ。今僕が外国研究者になり翻訳をやっているのも、蘭学者の一員になりたかったからかもしれない。

とにかく『蘭学事始』にハマって電車のなかでも読みふけっていると、坐っていたおじいさんに「そんなものを読んでいるなんてエラい！」と突然言われて席を譲られた。「これからもよくお勉強なさいね」だって。身長百五十センチもない子が詰め襟を着て熱心にそんなものを読んでいるなんて、確かにちょっと心配だ。

吉祥寺ロンロンという駅ビルは、今考えても不思議だった。おしゃれな服屋や雑貨屋もあるけど、「王様のアイディア」という、便利そうでそうでもなさそうな謎の商品を並べている店もあり、お婆さんがやっていて様々なぬいぐるみや袋などを売っているさえない店もあった。要するに、地方都市の商店街をそのまま駅ビルにした感じで、それがロンロンの魅力だったのだ。

思えば、吉祥寺の街そのものがロンロンみたいな感じだった。地元の人は輝ける都会と考えているけど、東京の中心部を知っている人には、ただの地方都市でしかない。住宅街があり、たまに畑もあり、街自体も大きくなくて、アーケードを歩けばすぐに全部回れてしまう。おしゃれな店も手作り感があり、カフェだって、年代や性別を問わず、いろんな人が入ってくる。まさに出会いがあり発見がある、愛しやすい規模の街だった。おまけに安全だったし。

けれどもその後、吉祥寺は変わった。住んでみたい街ナンバーワンになり、資本が流入し、地元以外の人も大量に来るようになって、ホンワカしたムードはなくなっていった。おまけにロンロンも弘栄堂も消えてしまった。アトレになった今の駅ビルには、イケてる流行の店しか入っていない。それは資本主義的には正解なんだけど、ときどきピンぼけだったころのロンロンが懐かしくなる。

太宰治「ヴィヨンの妻」——公園とアルコール

吉祥寺の街を歩いていると、けっこうな確率である人物に出会う。たとえば、東急百貨店のエスカレーターを上がっていると、反対側のエスカレーターを下がってくる男がいる。赤と白の横縞の派手な長袖シャツにもじゃもじゃ頭。あっ、と思うが、振り返ってももうそこにはいない。そしてしばらく経ち、忘れたころにまた細い路地で行き違う。前と同じ服装だ。まったく予想外のタイミングで出会うから、たまに見かけるとすごく幸運に感じる。そして現実のなかで『ウォーリーを探せ』をやっているような気になる。

もうおわかりでしょう。横縞シャツの人物とは楳図かずお先生のことだ。怪作『まことちゃん』を読んで育った世代としては、親しみ深いような、神々しいような、複雑な気持ちを抱かせてくれる偉人である。彼がどうして吉祥寺に住んでいるのかはわからない。だけど知り合いに連れられて、井の頭公園の近くにある楳図先生の自宅の前にも行ってみた。高級住宅街の真ん中に、テレビのバラエティ番組で見たまんまの、パンチのある家が現われる。こうしたちょっと変った天才をふわっと受け入れている吉祥寺という街が大好きだ。

井の頭公園やその周辺は、他にもユルめのスポットが多い。僕が好きだったのは焼き鳥の「いせや」だ。公園横の「いせや」はスターバックスの隣で、環境のことなど全然気にせず、焼き鳥の煙を大量に撒き散らしていた。なのでスターバックスのテラス席に坐ったが最後、鶏肉の煙と臭いに包まれることになる。でもみんな、「いせや」の方が昔からあることを知っているから、別にしょうがないんじゃないの、という感じで見守っていた。驚愕の大きさのジャンボギョウザも良かったな。結局きれいで煙の少ない店に建て替えられてしまったけど。

公園に入ると、特に土日はミュージシャンが勝手に歌っていたり、家族連れがいたり、カップルがデートしていたり、全体的にのんびりした感じだ。中央線沿線特有の、六〇年代から続く、フォークとかロックとかサブカルチャーっぽいものを日常的に楽しむ文化と言おうか。カフェも書店もそういう感じがするよね。よみた屋や百年といった力のある古本屋に入ると、何時間でもいられる。今でもたまに吉祥寺に行くとそういう店で、誰も読まなそうな絶版の岩波文庫を買い込んでニヤニヤするのが僕の趣味だ。

さて、駅の北側にはそうしたサブカル指向が極まったハモニカ横町という一角がある。もともとは戦後の闇市だったらしいけど、七十年の歴史のなかで独自すぎる発展をとげた。まず通路が細すぎて見通しが利かない。急に魚屋があり、ジーンズ屋があり、手作りっぽさも残るおしゃれなレストランでおいしいものも食べられる。外国製の雑貨や家電を売っているところまである。古い店も新しい店も、あらゆる種類の場所が極度に狭い場所に混在していて、お客さんも年代も性別も様々だ。こここそが吉祥寺の魂だと僕は感じる。下北沢では再開発で闇市だった一角はなくなってしまったけど、吉祥寺のここはなくならないでほしい。

木々で覆われる前の井の頭公園

太宰治「ヴィヨンの妻」にも、井の頭公園からハモニカ横町のあたりが出てくる。主人公は二十代半ばの女性で、幼い坊やを育てている。夫は有名作家の大谷で、彼女と籍も入れず、家に金も入れず、帰って来たと思ったらすぐにどこかに消えてしまい、そのまま何日も帰らない。だがある日、大谷が血相を変えて帰ってくる。そしてあとから、見馴れぬ夫婦もやってくる。聞けば夫は夫婦の店から勝手に金を持ち出し、そのまま逃げてきたらしい。大谷はナイフを振り回したあと、どこかへ行ってしまう。

夫婦の語る情況はこうだ。夫婦は現在、闇酒を仕入れて酒場をやっている。大谷は戦時中から二人の店に通ってきているが、この三年間、飲み代を払ったことがない。だが複数の女性が時折、店を訪ねてきてはお金を置いていく。それでもとうとう借金がかさんでしまった。妻はその話を聞き、夫婦の店で働き始める。自分の給料でなんとか金を返そうと思ったのだ。店では人気も出て生活も充実してくるが、大谷のファンだという男に騙される。

吉祥寺が出てくるのは、どうしていいかわからぬまま、坊やを連れた妻が電車の切符を買い、何気なく吉祥寺で降りるシーンだ。

吉祥寺で降りて、本当にもう何年振りかで井の頭公園に歩いて行って見ました。池のはたの杉の木が、すっかり伐《き》り払われて、何かこれから工事でもはじめられる土地みたいに、へんにむき出しの寒々した感じで、昔とすっかり変っていました。（126ページ）

あの樹木に覆われた公園が、かつて平地に池があるだけの状態だったというなんて知らなかった。しかも池のなかには何もいない。ただきれいな水があるだけだ。妻は言う。「坊や。綺麗《きれい》なお池でしょ？　昔はね、このお池に鯉《こい》トトや金《きん》トトが、たくさんたくさんいたのだけれども、いまはなんにも、いないわねえ。つまんないねえ」（126ページ）。かつて栄えたが今は何もない井の頭公園の風景が、頼る者もなく、どうしていいかわからない彼女の心のなかをそのまま映している。そしてそのあと、彼女は駅周辺の露店街に行く。これはハモニカ横町のことだろう。

延々とただ酒を飲む男

妻や居酒屋夫婦の口から語られる大谷はすさまじい。驚くほど酒が強く、しかもまったく金を払わない。それだけだったら普通、追い出されて終わりなのだが、なぜか彼には、相手に言うことを聞かせてしまう奇妙な魅力がある。だから突然訪れた大谷を夫婦は拒めない。それをいいことに大谷は勝手に酒を取りだしぐいぐい飲む。それが三年間も続くのだ。

しかもその魅力は夫婦にだけ作用するわけではない。大谷男爵の息子で日本一の詩人だ、と女たちはのぼせ上がり、彼と次々関係をする。居酒屋に借金があると大谷に言われれば、彼女たちはどうにか払おうとする。どうやら大谷の上品さと弱さが、彼女たちを虜にしてしまうらしい。それを言ったら主人公である妻も同様だ。子供はできたが、妻としてはまったく扱ってもらえない。むしろ大谷が作った借金を自分で必死に返そうとする。しかも決して彼を責めようとはしない。

もちろん、大谷は確実にアルコール中毒だろう。ときおり禁断症状が出ているし、酒量は限りなく増え続けている。人を騙し、暴言を吐き、ときに居酒屋の他の客と暴力沙汰も起こす。こうなっては本人もどうにもできないし、他人にも救えない。適切な治療が必要だとしか思えないが、終戦直後の当時に、そうした施設があったとも思えない。

印象的なのはこのシーンだ。大谷の悪行をすべて聞き終えた妻は突然笑い出す。

思わず、私は、噴き出しました。理由のわからない可笑《おか》しさが、ひょいとこみ上げて来たのです。あわてて口をおさえて、おかみさんのほうを見ると、おかみさんも妙に笑ってうつむきました。それから、ご亭主も、仕方無さそうに苦笑いして(116ページ)

どうして彼らは笑うのか。大谷の狂気に振り回され疲れ果てたあと、ふっと自分たちを俯瞰で見てしまい、この情況をまるでコントのように感じてしまったのではないか。もちろんそれは精神的な逃避とも呼べるかもしれない。それでも、戦争や破壊や死を経由し、常に続く絶望のなかでまだ生き続けるには、こうした笑いの感覚が重要な気がする。どんなに悲劇的な情況でも、そうだからこそ人は冗談を言い、笑い続ける。こうしたところに、太宰作品のリアルさがある。

迷惑をかけ続けてくれる人

そしてなぜ妻や居酒屋夫婦が大谷の言うことを聞くのか、という問いを立ててもいい。

もちろんこうした記述が出てくるのは、大谷のモデルとなっているだろう太宰がナルシストだからだ、と突き放すのもありだ。だがそれでは、この作品の怖さは理解できないだろう。実はこうした人の心の動きは、太宰の実体験に基づいているのではないか。

心のなかに暗さや寂しさ、無力感があるとき、迷惑をかけ続けてくれる人はありがたい存在だ。不快ではあれ、常に自分と関わってくれる。つまりは自分を必要としてくれている。しかもここで酒を飲ませてくれなかったら死ぬ、と言われて飲ませれば、そのたびに相手の命を助けられる。そして自分の存在価値を感じさせてくれるのだ。彼と関わっているあいだは、苦痛ではあるが孤独ではない。暴力的な関係は、恐怖と苦しみのせいで強烈な感覚を与えてくれる。しかも間違っているのは常に相手である以上、自分は清く正しく美しい存在でいられる。

大谷は、そうした人間の心の動きを熟知している。いや、その知識がなければ、中毒患者である彼はそもそも生き続けられないだろう。けれどもこの関係には問題がある。酒量と暴力がエスカレートしなければ、関係は維持できないのだ。周囲の人々も大谷自身も、彼が中毒であることから精神的な利益を得ている以上、彼は酒を止められない。そんなことをすれば周囲の人々に不快な行動をしたり暴言を吐いたりできなくなる。しかも人は刺激にはすぐに慣れてしまうから、大谷は常に不快さを強めなければならない。

だが人間の体には限界がある。ある程度以上の薬物を摂取すれば、必ず心身が破壊されて死ぬ。したがって大谷は自分の命を犠牲にすることで周囲の人々の孤独を癒やし、なおかつ正しい人間である、という彼らの感覚を維持している、ということになる。周知の通り、太宰はこの作品を書いたあと自殺した。だがもし彼が大谷のような生き方をしていたとしたら、そうでなくても遠からず死んでいただろう。

同時期の「父」という短編には、「父はどこかで、義のために遊んでいる」（72ページ）という言葉がある。これはただの戯言ではない。ダメ人間として振る舞うことで、彼は自分なりに人々を助けているのだ。もちろんこうしたやり方が破滅に行きつくことは明らかだが。

参考文献

太宰治『ヴィヨンの妻』新潮文庫、一九五〇年。

井伏鱒二『荻窪風土記』――百年前からサブカルチャー

中央沿線と言えば、サブカルチャーのイメージが強い。僕のいちばん古い記憶は、東小金井駅のホームで見たパンクロッカーのお兄さんたちだった。髪はツンツン立ち、鋲だらけの黒い革の服を着て、ギターのケースを担いでいる。そして発売されたばかりの初代ウォークマンを聞いていた。一九七九年のことだ。

田舎の小学生だった当時の僕にとって、その異様な姿はものすごく衝撃的だった。そして特に、細い銀色のヘッドバンドが特徴的なヘッドフォンに憧れた。中学生になって、わざわざ似たものを探して買ったぐらいだ。

あとで町田康さんにこの話をしたら、「それ俺かも」と言われた。なんでも当時、駅近くの東京農工大学には部室があって、パンクの方々が集まり曲を練習していたらしい。まあご本人でなくとも、お知り合いぐらいではあったのは確かだろう。世の中って狭いな。

だから中央線沿線にはライブハウスもたくさんある。吉祥寺の南口から出ると曼荼羅という場所があるのだが、歌人の福島泰樹さんが詩の朗読会をするというので、知り合い二人と一緒に見に行った。いわゆる「短歌絶叫コンサート」だ。

ドラムやピアノに合わせて福島さんが短歌を叫ぶ、だけじゃない。ボクシングも得意らしくて、途中で何度もシャドーボクシングが入る。どうしてだろう。最後に握手してもらったけど、手をものすごく強く握られた。強く握手されるのって苦手だなあ、とそのとき僕は思った。

結局、南口のルノアールで連れの人たちとだらだらしゃべって帰った。店内には灯籠や極端に短い小川があり、その横でカステラを二切れ食べて、緑茶をすすった。結局このルノアールがいちばんサブカルチャーっぽい感じがした。

売れないバンドマンのような作家たち

井伏鱒二の『荻窪風土記』を読むと、中央線沿線がサブカルチャーっぽい雰囲気になっていったのは昭和初期だということがよくわかる。もともと江戸時代は将軍の鷹狩りのために、荻窪から中野にかけてしっかり森が保存されていた。

関東大震災より前に、鳶の木下という男が夜、井の頭の池で鯉を盗み釣りしようとしたら、周囲の森では満月に照らされた狸が腹鼓を打っていた、なんて話も出てくる。こうした記述を読んでも、いかにここらへんが田舎だったかがわかる。

井伏が早稲田界隈から荻窪に越してきたのは一九二七年だ。一度に二、三人しか降りない駅で、駅前には飯屋や蹄鉄屋なんかがあり、遠くには富士山が見えた。そのころ、こう言われていたらしい。「新宿郊外の中央沿線方面には三流作家が移り、世田谷《せたがや》方面には左翼作家が移り、大森方面には流行作家が移って行く。それが常識だと言う者がいた」(14ページ)。

左翼作家というと不思議な感じがするが、当時は左翼文学が大流行で、そうでないものを書いている人々はまるで売れなかったらしい。『文芸都市』という、井伏も同人だった雑誌を新宿の紀伊國屋で売ってみたが、せいぜい月に四、五冊で、それが左翼の『文芸戦線』は月百冊売れたというから驚く。

それでは井伏は何をやっていたのか。原稿を書き、将棋をさし、釣りに行く。そのうち原稿を書くより熱心に将棋をさすようになる。こうしてできたのが、作家たちで作った阿佐ヶ谷将棋会だ。

どういう雰囲気だったのか。「共に身すぎ世すぎで原稿を書きながら、時にはそこに生き甲斐《がい》を感じるべきだと思うこともあり、ろくでもない原稿を書いても締切の関係だから仕方がないと口をぬぐっていることもある」(167ページ)。自分でもダメだと思いながら正当化したり、そうする自分をまたダメだと思ったり。

そしてこう思う。「共にお互さまだから、もしこちらを軽蔑《けいべつ》する手合があれば、その者を仲間と思ってやらないだけである」(167ページ)。売れない者同士が集まって傷をなめ合う。まるで今の芸人やバンドマンのようではないか。この界隈には百年前からこうした若者たちがいたというのがすごい。

それでは、知り合いが売れるとどうなるか。焦る。大いに焦る。一九二三年、創刊当時の『文藝春秋』に「蠅」「日輪」を発表して以来、破竹の勢いで売れ、ついには小説の神様とまで言われるようになった横光利一のことを思うと、井伏は心穏やかではいられない。

彼は言う。「私は横光のことを聞くごとに、何か慌《あわただ》しい気持を煽《あお》られるのを覚えたが、『これは邪道だ。諸君、どうぞお先に、と思わなくてはならん。自分は第三流の作家をもって任じるのだ』と私自身に言い聞かせるべきであった」（59ページ）。わかるなあ。この気持ち。嫉妬、劣等感、世俗を越えたいという思い、でもそうできない無力感。

井伏と太宰

さて、こうしたダメな感じの街にやってきたのが太宰治だ。大学に入った彼が青森から出てきたのが一九三〇年で、その三年後には荻窪に引っ越してくる。上京してすぐのエピソードがすごい。井伏のところに手紙をよこし、彼が返事を出さないでいると、会ってくれなければ死んでやると言ってくる。

それでは、と出版社で会えば、手渡してきたのは当時、井伏が書いていた「ペソコとユマ吉」というナンセンス物の模倣だった。「きみ、こんなペソコ・ユマ吉の真似をしちゃ、毒だ。こんなことをする間に、プーシキンやチエホフを読んだらどんなものかね」(185ページ)。

太宰もダメな時代があったというのがいい。その後、彼は阿佐ヶ谷将棋会に入り、何度も何度も原稿を持ってくる。井伏は批評などせず、とにかく読み続ける。初期から精神が不安定だった太宰にとって、文句も言わずに必ず読んでくれる井伏は、東京で自分を受け入れてくれる数少ない避難港だったのだろう。

そうこうしていくうちに太宰は勝手に成長し、流行作家になった。もはや戦後になると、井伏のところにはほとんど顔を出さなかったと言う。それでも、彼に対する井伏の愛情は揺るぎなかった。青森に疎開している太宰の三鷹の家が空き家になっていたのだが、フランス文学者の中島健蔵がそこに住みたい、と言ってくる。

結局、中島はその家には住まなかったのだが、もし太宰と中島が一緒に住んでくれていたら、太宰は死ななくてすんだのではないか、と井伏は思う。「少なくとも自棄《やけ》っぱちの女に水中に引きずり込まれるようなことはなかったろう」(253ページ)。こうしたさりげない言葉に、井伏の深い想いを感じる。

立川に向かって中央線を歩く

ところで、そもそも井伏はなんで荻窪に越してきたのか。はっきりとは書かれていないが、一九二三年の関東大震災がその大きな理由であろうことは容易に推測できる。当時、早稲田大学にほど近い鶴巻町に住んでいた井伏は、まさに都会のど真ん中で大災害を体験した。

早稲田の煉瓦造りの講堂が一度に崩れる。あちこちで火の手が上がる。鎮火したあと竹橋のお濠の端を彼が歩いていると、石垣のすぐ下で、店の買い物袋を持った女が仰向けで死んでいる。男たちはうつぶせで死んでいる。こうした光景を見ているうちに、彼は頭がフラフラしてくる。

そうこうしているうちに流言飛語が飛び交い、朝鮮人の虐殺が勃発する。彼らが井戸に毒を入れようとしている、隅田川の川縁では彼等と日本兵が銃を撃ち合っている、なんて荒唐無稽な噂が飛び交う。自警団が組織され、通行人を調べ出す。

立川まで汽車が来ていると聞いて、井伏は新宿から歩いて行くことにする。その途中、今は中野駅前のマルイになっている場所が芋畑で、そこで野宿しようと横になっていると農家のおじさんに見つかって、「お前さん、日本人か」ととがめられる。

これはものすごく怖いシーンだ。結局、日本人であることが認められて井伏は助かるのだが、おじさんの気分次第ではどうなっていたかわからない。井伏は言う。「至るところで行きすぎの間違いが起きた。未《いま》だにそれを問題にする人がいるが、みんな流言に逆上させられていたのだから仕方がない」(221ページ)。

これは暴力を肯定している言葉ではない。むしろ災害時の狂気を体験した彼が、普段何気ない顔をしている僕たちのなかにどんな魔物がいるかを指摘している。立派な社会人やお父さんが、きっかけさえあれば何の罪もない人を殺してしまう。井伏はそうした人間の暗い部分を見ている。

さて、余震で船酔いのようになりながらも井伏は立川までの道のりを歩ききり、ようやく汽車に乗ることに成功する。ちなみに被災者は無料で乗れた。停車する先々で歓迎され、食べ物を振る舞われる。「味噌汁が美味《おい》しいので私はお代わりをした。寝ぼけて啜る味噌汁はうまいものだと知った」(51ページ)。

緊迫したシーンに出てくる、こうしたヌケた感じの一言が良い。ようやく汽車を乗り継ぎ、郷里である広島県の福山に井伏は辿り着く。だが、ただ何もせず田舎にもいづらくて、結局は東京に舞い戻ってしまう。

その後も地震への恐怖は治まることがない。少しでも揺れを感じれば外に飛び出すし、わざわざ庭に手水鉢を置いて、水面にできるさざ波の方向を見て震源地を当てようとする。こうしたちょっとしたエピソードからも、大震災の恐怖が染みてくる。

二・二六事件で軍人の家が反乱軍に襲撃されたり、戦争が始まると徴用されてシンガポールに送られたりと、井伏のこの作品に登場する出来事はかなり激しい。それでも全体としては、かっこ悪いこともなんでも書き連ねてあって、しかもそこはかとないユーモアがある。

淡々とした記述で浮かび上がってくるのは、森と池と川しかなかった多摩地区が、ほんの半世紀のあいだに巨大都市に飲み込まれ、大きく変貌していった、という事実だ。

そしてこの同じ場所で、小説や音楽、演劇、お笑いといったジャンルの違いはあれ、売れない若者が集まっては夢を語り、作品を批評し、売れた仲間を嫉妬し、やがて歳を取り、ちらほら諦める者も出てくる、という流れを、無限に繰り返してきた。そのことは変らない。

かつて売れない作家だった井伏鱒二はやがて、堂々たる昭和の文豪となる。けれども夢破れて消えていった多くの者たちへの彼の視線は温かい。

参考文献

井伏鱒二『荻窪風土記』新潮文庫、一九八七年。

松家仁之『優雅なのかどうか、わからない』
――心がやわらかくなれる場所

三鷹駅から玉川上水沿いに南に下って行くと、井の頭公園から拡がる森に突き当たる。そのまま大通り沿いに下り続けると、三鷹の森ジブリ美術館がある。もちろん吉祥寺駅からバスでも行けるんだけど、お奨めは三鷹駅南口から出るコミュニティバスだ。ジブリのキャラクターが車体にたくさん描いてあって気持ちが上がるし、なにより吉祥寺の喧噪に触れなくてすむぶん、落ち着いた気分で行ける。

この美術館、ただ行っても入ることができない。事前にローソンでチケットを買わなくてはならないのだ。言い換えれば、そのときから旅は始まっている。三鷹駅は吉祥寺の隣なのにずっと静かだ。いや、さっきはバスがいいって言ったけど、あまりたくさん人の歩いていない道を歩いて行くのもいいな。

玉川上水にはほんの少しだけ水が流れていて、木々が植わっている。僕にとってこれは心の原風景だ。小平市に住んでいたとき、小学校の目の前が玉川上水で、こっそり水辺まで降りて遊んでいた。今考えると危ないんだけど、そのときは全然そんなこと思わなかったな。それで玉川上水が好きになって、小学校の教科書に載っていた玉川兄弟の記述をやたらと熟読したりした。

　おっと、多摩地区に育った人は誰でも知っている玉川兄弟だけど、他の場所で育った人は知らないかな。ほら、羽村からずーっと江戸まで、多摩川の水を引く大工事をした人ですよ。一六五三年にこんなものを作ったなんてすごすぎる。これで江戸の庶民も大いに助かったんだからね。でも結局、なんだか太宰治が入水自殺をした川でしょ、みたいな位置づけになってしまって悔しい。

　話を戻そう。十五分ほど歩いて、ようやくジブリ美術館に辿り着く。といっても土日ならおいそれとは入館できない。建物に入るまで、ずらっと行列する。けれども大丈夫。大きな兵隊のオブジェがお出迎えしてくれる。列に並んでいる人も笑顔で「あ、巨神兵だ！」なんて言っている。サイトで調べたら、あれは巨神兵じゃなくてロボット兵というらしい。でも形は『風の谷のナウシカ』の巨神兵のまんまだ。

　列に並んでいる人はいろんな言葉で話している。中国語、韓国語、英語、そのほかもろもろ。みんな楽しそうだ。全員がジブリのアニメが好きで、子供のころから何度も見ていて、この場所に来ることにわくわくしている。表情を見るとよくわかる。こんなに幸福な場所があるだろうか。確かにディズニーランドも幸せだけど、ジブリ美術館はもっとこぢんまりしているし、なんだか手作りっぽい。それがいい。

三鷹で「国際化」について考える

僕がいちばん驚いたのは、なかに入った展示のどこにも、日本語以外の説明がないことだ。国際化するなら、最低でも英語、それに中国語、韓国語なんかの表示も付けるのが当たり前、なんていう思い込みが崩れる。ここでしか見られないアニメや、有名な映画を制作するための資料を見れば、言葉がわからなくても多くのことがわかる。そしてもっと知りたければ、日本語を学べばいい。そして実際、多くの人々がジブリ作品を始めとするアニメに魅せられて日本語を勉強している。

そうか。作品に魅力があれば、人は世界中から来てくれるし、言葉の壁だって乗り越えてくれるんだ。そういうことは理屈ではわかっていたつもりだけど、実際に目の当たりにすると強く驚く。こんな三鷹の森のなかで、奇跡が今、進行中という感じだ。歓びに溢れている観客たちを見ていると、国際化するにはまず英語力を上げること、みたいなお題目がいかに虚しいかがよくわかる。いくら英語でしゃべったところで、魅力がない人の話は誰も聞かないよね。

サイトで宮崎駿はこう書いている。

こんな美術館にしたい

おもしろくて、心がやわらかくなる美術館
いろんなものを発見できる美術館
キチンとした考えがつらぬかれている美術館
楽しみたい人は楽しめ、考えたい人は考えられ、感じたい人は感じられる美術館
そして、入った時より、出る時ちょっぴり心がゆたかになってしまう美術館！

ああ、なんと素晴らしいんでしょう。そしてこう続ける。

こういう美術館にはしたくない！
すましている美術館
えらそうな美術館
人間より作品を大事にしている美術館
おもしろくないものを意味ありげに並べている美術館

いわゆる日本で言われる「アート」って、こういう感じだよね。偉そうで冷たくて面白くなくて。あるいは「文学」「思想」なんかもそうかもしれない。子供も大人もみんなが目をキラキラさせて楽しめるアート、文学、思想ってなんだろう。

失敗した結婚生活

さて、玉川上水沿いの道を行って、井の頭公園に面した住宅地に、松家仁之『優雅なのかどうか、わからない』の主人公、岡田が離婚後に暮らし始めた古い借家がある。ジブリ美術館のすぐそばだ。アメリカに渡ってしまった大屋さんである、高齢の女性の許可を得て、彼はこの家を大規模にリフォームする。なぜか。結婚していたあいだ、まったく価値観が合わない妻に気を遣って、好きに生きられなかったからだ。

出版社で編集者をしている四十八歳の彼は、とにかくおしゃれなものが大好きだ。今までのマンション暮らしでも、ボルボに乗り、北欧家具に囲まれて生きてきた。彼のこうした嗜好は、一人暮らしを始めた途端加速する。薪ストーブを置きたいとずっと願ってきた彼は、備え付けの暖炉を使ってみようとする。建築家の友人に頼んで、壁にぴったりと合う書棚を作ってもらい、膨大な量の本やCDを綺麗に並べる。風呂まわりも全面的に作りかえ、キッチンには大きな一枚板のカウンターを置く。

思えば、妻とはまったく価値観が合わなかった。国立大学経済学部を出て、金融機関の研究所に勤めている妻とは常に別会計で、収入は妻の方が上だ。岡田が自分のカードで買った家具の金額を聞いて、それだけのお金があれば、もっと良いマンションに住めたと妻は彼を批判する。お前だって高いバッグやコート、ハイヒールを買っているじゃないかと思っても、全部妻の自腹だから、はっきり口に出しては反論できない。

増えていく岡田の本やＣＤの存在も、彼女にとっては邪魔なゴミでしかない。だから、岡田の書斎から本がリビングまで溢れ出すと大いに怒る。そもそも彼女は、どうして本を買う必要があるのかが理解できない。そんなもの、読むときにだけ手元にあればいいんだから、図書館で借りたらいいじゃないかと言う。確かに理屈には合っている。けれども、日本中の人々が図書館の本だけ読むようになったら、そもそも夫の仕事が成立しない、ということまでは思い至らない。

岡田のこだわりトークを聞くのも妻は大嫌いだ。岡田が話していると彼女はこう言う。「そんな得意になって説明しなくてもいい、なるほどと感心させられるだけの評論家なんて何の役にも立たない、黙ってやることをやればいいの。それが頼りになる夫でしょ」（82ページ）。そして彼女は夫に何をやらせるのか。常にヒールを履いている自分が歩かなくてもいいように、岡田に車を運転させる。なるほど、運転手を雇うよりはずっと経済的だ。

バブル世代の行き着く先

こうした記述を読んでいると、冷え切った夫婦がどんなふうかがよくわかる。自分の価値観を押しつけ合い、その範囲内で相手の足りない部分を指摘し、だからお前はダメなんだと否定し、こいつさえいなければ自由でいられたのに、と思って苦しむ。愛はいつか憎しみに変わり、心も体も限りなく冷え切る。

この作品は岡田目線だから、妻の悪い部分にばかり焦点が当たっているが、よく見るとなし、岡田の問題点も読み取れるように書いてある。完璧主義者の彼は仕事も家事もきちんとこなし、美意識をずっと磨いている。そして感覚を研ぎ澄ますことを怠っている者を見下している。自分のなかで閉鎖的なシステムができすぎていて、他人の価値観に自分を開けない。

いつから彼がこうなったのか、あるいは若いころからそうだったのか。それはわからない。けれども少なくとも二十代のころは、ここまで悪化していなかったのではないか。こんなに価値観の違う妻と一度は結婚しよう、と決断したのがその証拠だ。その当時は、自分とは違って現実的で、実際に生きることの能力が高い彼女の生き方に憧れていたのだろう。あるいは、その一方で彼女にはちょっと抜けたところもあって、そこを岡田はかわいいと思ったのかもしれない。

しかし互いにダメ出しをし合い、否定し合っているうちに、相手の良いところを忘れてしまった。そしてこの貴重な人生で側にいてくれることのありがたさを感じられなくなった。高学歴、高収入、高センス、高仕事の行きつく先が、こんなに寒いものだったとは。物や情報に溢れたバブル世代の価値観の行きつく先は精神の地獄だ、ということを暴いている点で、この本は読まれる価値がある。
それでは二十代の息子はどうか。彼には物欲がまったくない。

そもそも日頃から、本も雑誌もＣＤも、区立図書館とＴＳＵＴＡＹＡを活用し、よほどのことがないかぎり自分では買わず、机の上はいつ見てもまっさらで、書棚にならぶ本も、一定以上は増えなかった。クルマも欲しがらず、いつもＴシャツにパーカーにジーンズで、スーツなんかいらないと言う。（６ページ）

ここには両親の物欲もブランド欲もまるでない。なんというか、カリフォルニアの仙人のようだ。岡田は息子のことが理解できない。と同時に、彼の価値観に新しさを感じる。そして離婚後は自分も、車に乗ることをやめる。
やがてアメリカに留学した息子に、美術館で学芸員をしている男性と付き合っている、とカミングアウトされる。そのとき岡田は、ようやく息子が素顔を見せてくれた、と思う。物を愛するのではなく、きちんと相手を愛する息子。しかもその相手はアートを愛している。果たして岡田は息子に学びながら、他人を受け入れ、温かく人を愛せる人間に変われるだろうか。この作品のなかでは彼がそうなれるかどうかはわからない。だがその予感だけは、読者にも感じ取れる。

参考文献

松家仁之『優雅なのかどうか、わからない』マガジンハウス、二〇一四年。

三鷹の森ジブリ美術館ウェブサイト　http://www.ghibli-museum.jp

4

福岡

プロローグ——祖父の思い出

絲山秋子『逃亡くそたわけ』——故郷としての言葉

東山彰良『女の子のことばかり考えていたら、1年が経っていた。』——太宰府の大きな楠

遠藤周作『海と毒薬』——メロン畑の思い出

プロローグ――祖父の思い出

好きな街はいろいろあるけど、愛しているのは福岡だけかもしれない。幼いころから、数年に一度の里帰りをものすごく楽しみにしていた。東京、秋田、金沢と様々な場所を転々としてきた僕にとって、祖父母の住む福岡は、変わることのない唯一の故郷だった。

とはいえ実は僕は福岡には住んだことがない。天神の病院で生まれて数週間、母の実家で過ごし、すぐに当時住んでいた千葉の家に移動してしまった。だからプロフィールには「福岡出身」と書いてはいても、半分しか本当ではない。それでも福岡には強い想いがある。

福岡に行くのは決まって夏休みだ。新幹線での長旅を終えて香椎の駅に着くと、決まって祖父が出迎えてくれた。九州の黄色っぽい光のなか、さっさとタクシーのトランクに僕たちの大荷物を詰め込む。居間で一休みすると、親戚のおじさん、おばさんやその子供たちが集まってくる。

宴席を賑やかに取り仕切るのはいつも祖父の役目だった。大いに飲み、食い、しゃべり、笑う。そういうときの祖父の姿はかっこよかった。聞けば、飲みの席を盛り上げる技術は、国鉄マン時代に磨いたものだという。僕が物心ついたときにはもう退職してしまっていたけれど、祖父の現役時代を一度見てみたかった。

祖父が昔通った中洲の寿司屋に連れて行ってもらったこともある。「きょろきょろするな、怖い人にからまれるぞ」なんて祖父に脅されながら、中洲の繁華街を突っ切っていく。カウンターしかない小さい店で、僕と妹以外は大人しかいなかった。

「好きなものを言ってみろ」と言われて、うまく考えられず「ウニ」と答えたらウニばっかりたくさん出された。そこまでは好きじゃないけど。でも僕の反応に大将は無頓着で、「ヤクザがみかじめ料を取りに来たけど追い返してやった」なんて、教育に悪い話ばっかりする。

そのうち他のお客さんが、「小学生の娘が妙に色気づいてきて困る」なんて言い出した。僕も小学生で、わかるようなわからないような話の内容にものすごく恐縮してしまう。それでも祖父は気にせず喜んで聞いている。「ここの大将は、高校を出て努力してここまで店を育て上げた。偉いもんだ」なんて言っている。

普段の僕は、同年代の子供と遊ぶか、外国の児童文学を読むか、といった静かな生活を送っていたので、祖父と過ごす時間はやたら刺激が強かった。今思うと、祖父は子供との接し方がよくわかっていなかったのだと思う。だから、国鉄時代の部下みたいに僕を扱ってくれた。それが良かった。

志賀島に一緒に行ったときのことも憶えている。もう僕は中学生になっていたかな。夏休みの宿題で金印のことを調べていた。二人でバスを乗り継ぎ、砂嘴《さし》である海の中道を通っていく。金印公園を見て、志賀海神社に参る。いつもは騒がしい祖父も、森のなかにある神社では神妙に手を合せていた。帰りは船着き場から船に乗り、博多港まで戻った。湾内の海は静かで、キラキラしていた。

天神で祖父と食事となると、決まって「平和楼」に行った。餃子を頼み、ラーメンを頼む。とはいえ、いわゆる博多ラーメンの豚骨スープではなく、もっとさっぱりとした白湯スープだった。時代がかった内装の広い店内では、たくさんのお客さんが集まり、くつろいでお茶やご飯を楽しんでいる。年輩の人が多いのは、ずっと昔から愛されてきたからだろうか。

西鉄福岡の駅から電車に乗って、太宰府天満宮にもよく行った。楠の大木に触れ、お参りをし、おみくじをひく。梅ヶ枝餅を行きつけの店で買う、と祖父が言うので付いていくが、全然見つけられず、たぶんここだろう、という店で買ったのも憶えている。なにしろ店が多すぎるのだから仕方がない。

大人になって、書店イベントや講演会で毎年のように福岡に呼ばれるようになった。福岡出身と言い張っているせいで、そうした機会が増えたのかもしれない。福岡のお客さんはものすごくよく話を聞いてくれるし、終わったあとも、ずっと僕に話しかけてくれる。

それが嬉しくて、延々と話し込んでしまう。

そして暇を見つけては、「平和楼」で食事をする。太宰府に行き、わざわざ焼きたての餅をその場で食べる。時間があれば船に乗って博多湾を巡る。不便なのに、わざわざ海の中道にあるホテルにも泊まった。

そうしていると、今の時間を過ごしながら、同時に祖父といた過去に戻れる。もうとっくに亡くなってしまった祖父が側に現れて、また僕と一緒に福岡の街を巡っているんだと思う。そして僕は、目に見えない形で今の自分を受け止めてもらい、これからのアドバイスももらっている。そうした実感がある。

おそらく、街への想いとは、そこにいる人たちへの想いなんだろう。そうしたものは、たとえ彼らがいなくなっても変わらない。だから僕は福岡を愛し続けている。

絲山秋子『逃亡くそたわけ』——故郷としての言葉

小学校低学年のころだろうか。僕は悩んでいた。他の子のお母さんは丁寧な言葉遣いなのに、どうして僕のお母さんはそうではないのか。たとえば、他の子の家に行くと、お母さんが出てきて言う。「あら、こうちゃんっていうの。よろしくね。よしおちゃんと仲良くしてね。お菓子よ。これ、おいしいわよ」でも家は違う。「お菓子あるよ。食べな」ぐらいで、なんというか、いわゆる「お母さん」感がない。

あるいはお父さんだ。他のお父さんは自分のことを僕とか私とか言っているのに、僕のお父さんは絶対に「わし」である。「わしも食べる〜」とか、「わしにもくれ〜」とかいつも言っている。自分のことを「わし」という人は、他にはマンガ日本昔話に出てくる人、それから本に出てくる、年寄りの偉い人だけだった。ということは男性は僕、私を経て、年を取ると「わし」に至るのではないのか。なのになぜ、まだ三十代の父が「わし」というのか。

他にも謎があった。家のなかだけで通じる言葉がたくさんあったのだ。僕や妹が騒いでいると「しゃーしい！」と言われて怒られたし、いろいろと大変な状態は「きたわるー」

だった。どういう意味なんだ？　どうしても、というときは「しゃっちが」とか言っていたし、怒るときは「はらかく」だ。一つ一つの表記が謎で、正確な意味も謎だった。親が使うのを聞いて、なんとなくニュアンスは摑んでいたが、自分では絶対に使わない。ましてや学校では言ったこともない。なんとなく、家の外では言ってはいけない言葉、というふうに思っていた。

今になれば、これがどういうことかわかる。父と母の出会いは福岡で、だから二人にとっての共通語は福岡弁で、そろって東京に出てきてからもその状態を変えていなかっただけだ。けれども当時僕にはまったく説明がなかった。というか、今もない。たぶん両親は、福岡弁をしゃべっているという意識もなかったのではないか。福岡弁ネイティヴの人が考える標準語を話していた、というか。それでも語彙やイントネーションは微妙に周囲と違っていて、その違いに当時の僕は過剰に反応していたのだろう。

上京と移民

だから、今になってアメリカの移民文学を読んでいると、登場人物の気持ちがよくわかる。たとえばジュノ・ディアス作品の登場人物は、家のなかではスペイン語で話して、外では英語で話す。両親のしゃべるスペイン語が恥ずかしいんだけど、でも同時に、心の奥底まで入っているから、懐かしく、大切なものにも感じる。温又柔さんの書く、台湾から来たお母さんの言葉もそうだよね。台湾語、中国語、日本語が混ざって、地球上で他の誰もしゃべっていない言葉が生まれる。主人公の女の子は最初、お母さん、ちゃんとしゃべってよ、なんていっているのに、気づいたらそのお母さん語が、彼女にとっての故郷にもなっているのだ。

僕がそうした両親の言葉の魅力に気づいたのは、わりと長めに福岡に里帰りしたときだ。もう大学生だったかな。いとこたちもだいぶ大きくなっていて、何日も続けて、あれこれ一緒にしゃべり続けた。祖父母や両親の世代はそれでも、標準語をほとんど完全にマスターしていて、僕とそんなに変わらない言葉を使ってくれるのだが、中高生は容赦がない。部活やゲーム、博多山笠なんかの話を、ものすごく濃ゆい福岡弁でまくし立てる。

彼らの話す言葉が面白くて、何時間もしっかりと聞きながら答えているうちに、奇妙な現象が起こった。なんと、習ったことのない福岡弁を、僕も一緒にしゃべりだしていたのだ。もちろんド下手なことは確かだが、それでも音や流れはきちんと摑んでいたと思う。なんだか、自分が自分じゃなくなったみたいだった。気分が良いのでどんどんしゃべった。

たぶんだけど、両親の語る福岡弁っぽい標準語を聞き続けて育ったために、福岡弁の感覚が僕のなかに、知らず知らずのうちに蓄積していったのだろう。それは、九州系移民二世の自分にとって、こっそり誇らしいことだった。今でも自分にとっては、一度も住んだとのない福岡こそ「帰る」場所だ。それだけではない。福岡弁の響きもまた、自分にとっては故郷のような気がする。

福岡の精神病院から南へ

絲山秋子の『逃亡くそたわけ』の主人公である花ちゃんの福岡弁も濃ゆい。怒ると「ぶりばりむかつくったい！」(70ページ)と叫び、阿蘇山でいきなり団子を食べると、「ばりうま！　高級じゃなかばってん、懐かしい味のするっちゃんね」(81ページ)と感激する。正直、東京出身の絲山がどうしてここまで生々しい福岡弁を書けるのかまったくわからない。でも花ちゃんの元気な言葉を聞いていると、それだけで彼女が大好きになる。

さて、どうして福岡に住む花ちゃんが阿蘇山にいるかというと、旅行中だからだ。それもただの旅行ではない。躁鬱が悪化して、なおかつ幻聴も強い彼女は実家で暴れたあげく、福岡の西新にある精神病院に閉じこめられていた。テトロピンという強力な薬を処方され、朦朧とした状態に陥った彼女は、このままでは廃人になる、と焦る。「どうしようどうしよう夏が終わってしまう。二十一歳の夏は一度しか来ないのにどうしよう」(9ページ)。そしてこのプリズンから逃亡する決意をするのだ。

と言っても一人では心許ない。そこで道連れに選んだのが、NTT職員で鬱で入院中のなごやんだった。二人でこっそりと病院を抜け出し、親爺のお古である四角いルーチェで、二人は南を目指して旅に出る。この際、鹿児島まで行ったら行き止まりでは、なんて突っ込んではいけない。行き止まりまで来たらそのときで、また考えればいいのだ。

なごやんには一つ謎がある。決して名古屋弁をしゃべらないのだ。というか、最初は東京から来た、と他の患者たちには言っていた。単に慶應大学を出ただけで、その前はずっと名古屋だとばれたのは、両親が見舞いに来たときだ。それでも名古屋弁をしゃべる両親の前で、なごやんは標準語を話し続ける。一体誰に対して隠しているのか。そんななごやんが名古屋で愛するものはただ一つ、シキシマ（パスコ）の銘菓「なごやん」だった。こうなればもはや、周囲にもなごやんと呼ばれるしかない。

花ちゃんとなごやんは中津から国東半島に出て、別府経由で阿蘇山に入り、九州を縦に貫く山道を延々と南下して、ようやく宮崎市に出る。そのあいだも、花ちゃんは隣に止めてあったポルシェに何度も突っ込んでバキバキに壊す。途中でルーチェのなかのパイプに穴が空き、あわや走行不能になりかける。マツダのディーラーで修理して、二人はやっと鹿児島まで辿り着く。そして鹿児島半島の南端である指宿に至って、何か大事なものに気づくのだ。

対照的な故郷との向き合い方

花ちゃんとなごやんの郷土愛は対照的だ。花ちゃんは九州より食べ物がまずいところはみんな下だと思っている。そして福岡の食べ物がこんなにおいしい以上、東京だって下だと感じる。どうして食べ物がすべての基準なのかはよくわからないけど、体感としては腑に落ちる気がする。要するに、住んでいて気持ちが良いかどうか、ということだ。

それに対して、なごやんは名古屋を恥じている。どうしてかと訊かれても、名古屋に生まれたらわかる、と繰り返すだけで教えてはくれない。代わりになごやんが愛しているのは東京だ。だから阿蘇山を見ても、東京の下宿から見えた富士山の方が偉い、と譲らない。そんななごやんに対して花ちゃんは思う。「なごやんはどこまでも東京オタクだ。東京人になりたくて、富士山を信仰しているのだ。英文科にはよくペラペラ喋れて原語で何でも読めてアメリカ人になったつもりのバカがいるけれど」(75ページ)。実際に英文科で先生をしている僕にとっても、花ちゃんのこの言葉はキツい。

当然ながら、本音でありのままでいることを重んずる花ちゃんは旅の間中、なごやんの本心を聞きだそうと努力する。なごやんを虐めるようなことを言って挑発し、顔の上半分と下半分の表情が違うと見抜く。本当の気持ちは上にでるが、下半分は人にこう見られたいという表情をしている。花ちゃんの観察眼の鋭さには驚く。車に乗りながらたくさんの話をし、二人で多くの困難を乗り越えていくあいだに、恋愛とは違う、不思議な信頼関係ができあがっていく。

だから、こんなに一緒にいるんだから一回ぐらいセックスしてもいいよ、と言った花ちゃんになごやんはこう答える。「いかんがあ」「恋人じゃない人としたらいかんて。俺じゃなくても、誰とでもそうだからね」（117ページ）。あまりのことに焦ったなごやんは、ついに名古屋弁で話し始めるのだ。

思うに、自分のルーツを否定し、自分の感情を否定し続けてきたなごやんは、だからこそ病気になったのではないか。天真爛漫な花ちゃんは、自分でも知らず知らずのうちになごやんと向き合うことで、なごやんを癒やしていたのかもしれない。自分自身でも良いんだ。その、はっきりとは言葉にならない教えがなごやんに染み込んだからこそ、自分が本当に望んでいるわけではないことを花ちゃんがしようとしたときに、なごやんのこの言葉が出たのだろう。

そしてなごやんの存在もまた、花ちゃんにとっては癒やしになっていたのではないだろうか。実はなごやんの鬱は比較的軽くて、病院から逃げたときにはもう、そろそろ退院できそうな状態になっていた。それでもなごやんは文句一つ言わずに、花ちゃんの逃亡に付き合ってあげた。おそらく、無鉄砲な花ちゃんをなごやんは放っておけなかったのだろう。

花ちゃんは発病後、大学の友達にも教師にも助けてはもらえなかった。暴れる花ちゃんを両親は恥じて、とにかく家に閉じこめておこうとする。そして最後は閉鎖病棟送りだ。薬の激しい副作用、排便しにくい和式のトイレ、そしてなにより、あまりにも不味い食事。気持ちが良いことが大好きで、とにかく人生を楽しみたい花ちゃんにとって、精神病院は辛い場所だった。

けれどもなごやんはそこから連れ出してくれた。そして、長時間一緒にいてくれた。こんなにも側にいてくれる人がいる。だから自分も、無価値な人間ではないんだ。なごやんの一見、受け身の態度が、花ちゃんの怒れる心をだんだんに溶かしていく。そして指宿に着くころには、幻聴の声が消える。もちろんまだ薬も飲んでいるけれど。逃亡の旅で二人は決定的に変わる。そして読んでいる読者も一緒に変わる。

参考文献
絲山秋子『逃亡くそたわけ』講談社文庫、二〇〇七年。

東山彰良『女の子のことばかり考えていたら、1年が経っていた。』
――太宰府の大きな楠

福岡に行くと、いつも顔を出す場所がある。天神から西鉄に乗って、そうだな、三十分ぐらい揺られていくと、そこまで大きくない駅に着く。そのときには、もう気持ちが高ぶっている。

実は僕は太宰府天満宮が大好きなのです。太宰府の駅から境内までのせいぜい十分ぐらいの道のりを、ゆっくりと時間をかけて歩く。梅ヶ枝餅の店がやたらとたくさん並んでいる。僕が行きつけのところもあって、わざわざ二階に上がって、ねっとりじんわりと口に広がる餅を味わう。お茶の苦さも心地よい。一人なのに寂しくはなくて、むしろ温かい気持ちで、ふーっと息を吐く。

お土産物屋では、鷽《うそ》の木彫りが売られている。これがかわいいんだな。ちょっと画像検索で調べてみてください。少々目つきの悪いとぼけた顔でこっちを見ているのが良い。くるくると髪の毛みたいなものが巻いていたりして。以前、「ことば使い」の中村和恵さんに北海道ウィルタのお守りをもらったことがあるんだけど、なんとなく似ている。神聖なのに愛らしい、というか。

と思うと、急に隈研吾さん設計の、あまりにもおしゃれなスターバックスがあったりする。やたらと木組みが剥き出して、コーヒーを飲んでいるとこっちに刺さりそう、というか。店内に入ってみると、ずっとなかまで未来的な空間が続くのが面白い。いや、木組みだから古代的なのかな。ここだけ見ていると青山あたりみたいだけど、のどかな門前町にあるから、なんだか奇妙な、おっちょこちょいな感じがする。もっとも、隈研吾さんの狙いはそれだったのかもしれない。

さて、少なくとも千人はいる中国人観光客のあいだをすり抜けて進んでいこう。鳥居を越えて、池にかかった太鼓橋を渡ると、不思議な空間が広がっている。平らな広場に、巨大な楠が何本も並んでいるのだ。まるで仙人が住む街の街路樹みたい。僕はここの楠が大好きで、ずっと見ていられる。太い幹、うねる根っこ、ものすごく古いだろうに、それでも青々と茂る葉っぱ。どれも素晴らしい。

二十年くらい前は、近づいて直接抱きつくことができた。そうすると、木が持っている神々しい気みたいなものを感じとることもできた。でも今は保護のための柵ができてしまって、そうもいかない。それでも近くまで行って、木の強さやたくましさを感じとる。樹齢は千年以上もあるそうだ。木は今まで一体何を見てきたのだろう。何を思ってきたのだろう。

そしてようやく境内に入る。白っぽい石が敷き詰められ、その中心を参道が通っているここは、下界とは違う空間、という感じがする。いるだけで心が静まってくる。自然と頭が垂れてくる。とにかく、神社としての実力がすごい。ここに来るのは何十回目だろうか。最近では、太宰府来たさに福岡での仕事を優先して入れている感じすらある。

子供のころは福岡への里帰りのたびに、親や祖父母に連れられて来た。いちばんよく覚えているのは、祖父と二人で来たときのことだ。行きつけの梅ヶ枝餅屋があると祖父が言うので二人で探すのだが、全然わからない。とにかく何十軒もあって、しかもどの店も極端に似ているので、とても見分けがつかないのだ。店頭で餅を焼き、そのまま販売していて、奥にはちょっとした座敷がある。気づけば参道から遠く離れて、神社の裏手まで行ってしまっていた。

「あー、ここここ」なんて祖父は言っていたけれど、適当な場所ですませているのは子供心にもわかった。でもそんなことにはかまわず喜んで、けっこうな量を買い込み、一時間ほど電車に揺られて祖父母の家に帰る。みんなかなり喜んでいた。福岡の人たちにとっても梅ヶ枝餅は珍しいんだな、と思ったりした。

一個目はおいしいんだけど、二個目まではどうかな、と思ってしまう昔風の甘さがいい。変わらない神社で、変わらない餅を食べながら、遠い昔のことを思う。楠にとっては三十年や四十年など一瞬で、だからこんなに店があるのに、どうしても餅が買えなくてうろうろしている祖父と子供時代の僕を、ほんの昨日のことのように憶えているはずだ。もちろん言葉は通じないけど、話しかければ、「忘れるはずないよ」と楠が答えてくれるような気がする。

漢字が響き合う文化圏

さて、神社とは少し字が違う大宰府といえば、古代では朝鮮や中国との交流の最前線である。というか、そんなふうに昔、日本史で習った。そして、台湾から来て福岡に住む日本語作家、東山彰良の作品には、ちらちらと中国文化が出てくる。以前『流』を読んで、この人の作品が大好きになった。温又柔さんの小説もそうだけど、こうした書き手の作品を読んでいると、漢字という偉大な発明のおかげで、東アジア全域が、異なる音が響き合いながら緩やかに統一された文化圏になっていることがよくわかる。まるで、ヨーロッパのいろいろな言語の向こうにほの見えるラテン語文化圏のように。

そういえば、カリフォルニアに留学していたころ、中国人、韓国人、日本人の友達と鍋パーティーをしたことがある。もちろん英語でしゃべりながら、「安全」みたいな漢語を自分の言語ではどう発音する？　と質問し合う流れになった。そして互いに、中国語、韓国語、日本語であまりに似ていることに驚いてしまった。こんなことは言語学者に言わせれば当たり前のことなんだろうけど、実際に聞くと感動がある。

なんというか、何千年もかけて広大な領域の人々が、あるときには中国語を受け入れ、あるときにはねじ曲げ、あるときには拒絶しながら、自分たちの文化を作ってきたことが体感できた。こういうことは、英語さえできれば国際人、みたいな考え方をしていては気づくことができない。とはいえ、そのパーティーの結論が、「とにかく金城武はかっこいい」になったのは謎だったけど。

日本文学+カンフー映画

もちろん東山の『女の子のことばかり考えていたら、1年が経っていた。』というたまらないタイトルの短編集にも、中国っぽい要素が登場する。基本的には福岡の大学に通う「有象くん」と「無象くん」という非モテ大学生のイケてない青春が描かれているわけだが、そこに絡んでくる人々の濃ゆいエピソードがいい。

短編「あの娘が本命」では、イケメンくん、二番手くん、本命ちゃん、引き立て役ちゃんの四人が、イケメンくんが親に買ってもらった新車、アウディA5でドライブに行く。もちろんイケメンくんと二番手くんは本命ちゃんを巡ってつばぜり合いの真っ最中である。医者である親の金力でイケメンくんが圧勝しそうになるも、二番手くんが心霊スポットでの肝試しを提案するにいたって形勢が逆転する。イケメンくんは大の恐がりなのだ。

案の定、犬鳴峠に差し掛かったところでアウディは真っ暗ななか、たった一台きりになる。そして道路を見ると、無数のミミズで覆われているではないか。一体何ごとだ。そこで本命ちゃんは正体を明かす。実は数千年を生きてきた蚯蚓大師で、代々降魔師を続ける引き立て役ちゃんの先祖を殺したのも自分である。ここで二人が出会った以上、決戦は避けられない。

そして二人は女子大生姿のまま、打ち合っては宙を飛び、くるくると回転し、延々と格闘を続ける。その様を見たイケメンくんと二番手くんは、ただただ圧倒されるしかない、って。なんだそれ。日本の大学生の日常に、香港のめちゃくちゃなカンフー映画が接続されたようで、ものすごく面白い。日本文学の暗黙のお約束が軽々と引き裂かれた、というか。

確かに、日本文学って、日本で生まれた日本語をしゃべる人たちが日本でいろいろするだけのものじゃないよね。他にも、「女王陛下のダンベル」では、学園の憧れの的、女王ちゃんに声をかけたものの、体がひょろひょろであることを指摘されたダンベル先輩が、「中国菓子の〈よりより〉みたいに体をよじ」（72ページ）るシーンがある。調べてみたら、麻《よ》花兒《りより》って、三つ編みみたいにぐるぐるに捻れた揚げ菓子なんだね。色もちょっと肌色っぽくて、変なリアリティーがあって笑える。

多様な声と説得力

さて、有象くん無象くんの脱力キャンパスライフに笑いが入る、肩の凝らないエンタメ小説なわけだが、実はけっこう人生の実相に迫る、深い作品になっている。たとえば、先述の「あの娘が本命」で、なぜ引き立て役ちゃんは本命ちゃんと一緒にいるのかという問いに語り手はこう答える。「しかし世の多くの女性がそうであるように、引き立て役ちゃんも真実に目を向けるより、自己嫌悪に目をつむってそのときそのときの偽りの友情を大切にしてきた。そのほうが楽だからである」(21ページ)。あー、確かに。

一人でいる孤独に耐えるよりは、イケているグループの一員でいるほうがいい。たとえぞんざいに扱われても、寂しさよりはまだ我慢できる。もちろん、それは愛ではない。けれども、愛ではないという真実に目を向けるのは苦痛だ。だって、今の自分を形作る世界が崩壊してしまうから。もちろん、そんな世界など壊してしまえ、と東山は思っているわけだが、同時に、そうできない時期ってあるよね、と引き立て役ちゃんに共感してもいる。とすれば、その後の本命ちゃんとの死闘は、自分自身になるための闘い、ということか。

あるいは「温厚と激情」に出てくる教授だ。ノリで入ったキャバクラで小悪魔ちゃんを見初め、理事長の娘である妻がいながら恋に狂う。しかしそれはむしろ、長い年月を経て「屋久杉のように大きく育った夫婦愛を根こそぎにはできなかった」(50ページ)。いやむしろ、妻のかけがえのなさに、ほとんど残酷なほどはっきりと気づいてしまう。そして別れを切り出された小悪魔ちゃんの、当然とも言える復讐を、結局は夫婦で乗り越える。読みやすく、多様な声が響いていて、しかも説得力がある。現代日本語文学はここまで進化した、ということが東山彰良の作品を読むとよくわかる。

参考文献

東山彰良『女の子のことばかり考えていたら、１年が経っていた。』講談社、二〇一七年。

遠藤周作『海と毒薬』——メロン畑の思い出

九州大学と聞くと、親しみの気持ちが湧いてくる。自分が通っていたわけではない。父がここの農学部出身で、学生時代の話をよく聞いていたからだ。とはいえ半世紀以上前の話だ。今とはだいぶ違う。

父は園芸科で、演習でメロンなんかを作っていたらしい。収穫の時期になると、もちろんメロンは一斉に実る。これを誰かが処理しなきゃならない。最初は豪華だ、なんて言って喜んで食べていたけれど、みんなだんだん食べ飽きてくる。しまいには見るのも嫌になる。まさに芥川龍之介の「芋粥」状態だ。

小学生だった僕はその話を聞いて、大量のメロンに囲まれて泣いている父の姿を空想した。「もう食べたくないよ〜」なんて言って。そして、羨ましいなあと思っていた。当時も今も、本格的なメロンは高くて、あんまり食べられない。農学部っていいなあ。

さて、その農学部時代のクラスメートの妹と父は結婚した。で、今回はその元クラスメートのほう、母の姉の話である。父と違って、おばさんは大学に残り、理系の学部で助手をしていた。そして夏休みに里帰りをしていた小学生の僕を、研究室を見学に来ないか、と誘ってくれた。

大学なんて行ったことない。喜んでおばさんについていった。わりと古めの建物で、実験道具や試薬なんかがところ狭しと並んでいる。他の世界とは違う、独特の空間だ。なんだか、誰もいない病院がそのまま大きくなったみたい。

感心している僕におばさんが言った。せっかく来たんだから、ちょっと実験をしてあげようか。そして容器に水を張り、そこに小さなナトリウム片を浮べてくれた。すぐにナトリウムはシュシューッ、と音を立てて煙を出し、水面を縦横に駆け巡った。そして見る見る消えていく。面白い。

すごく喜んでいる僕を見て、おばさんは言った。もうちょっと大きいのやってみようか。そしてさっきより二倍くらいのを入れてくれた。ナトリウムは再び、シュシューッと音を立てて進んでいく。けれども突然、「パンッ!」と大きな音を立てて弾け、白い煙がもくもくと上がった。一瞬、部屋が真っ白になった。

つまりナトリウムが爆発したわけだね。よい子はマネしないで! 特に誰もケガなんかしなかったけど、みんな驚いてしまった。あとでおばさんが机の上に乗って、天井に付いたナトリウムの欠片を箒でこそぎ取っていたのを思い出す。

さっきYouTubeで同じ実験の動画を見て、すごく懐かしくなってしまった。と同時に、小学生の記憶力に驚いた。水面を動くナトリウムの姿も、そのあと出る煙も、僕が憶えていた通りだったからだ。

今では九州大学は、医学部だけを残して福岡市街から糸島に移動してしまった。だから、かつて僕が驚いた研究室ももうない。父親のメロン畑もとっくになくなっているはずだ。けれども、もうちょっと派手な実験を見せてやろうとしてくれたおばさんの温かい気持ちは、今も僕のなかに残っている。

触れただけで伝わること

さて、遠藤周作『海と毒薬』の舞台も九州大学だ。もっとも、F医大という名前になってはいるが。主人公の勝呂は、人嫌いの奇妙な開業医だ。やがて彼が戦時中に、F医大で行われた、捕虜のアメリカ軍人に対する生体解剖実験に関わったことが判明する。

糸島の出身で、人を助けるために医者になった彼が、なぜ医療の場における殺人に関わってしまったのか。彼だけではない。教授は、助手は、そして看護師は、強く拒もうと思えば拒めただろうに、どうして流れに巻き込まれて、消極的かつ受動的に大罪を犯すことになったのだろうか。

まず気になるのは勝呂の指だ。新宿から電車で一時間、西松原という地域に引っ越して来た語り手は、近所に住む勝呂という医者に気胸を打ってもらう。この肺に空気を入れるという治療には熟練の技が要る。だが田舎医者であるはずの勝呂は卓越した技術の持ち主だった。

ならば語り手が安心したかと言えば、そうではない。「けれどもそうした技術のみごとさにかかわらず私にはこの医者が不安だった。不安というよりいやだった。こちらの肋骨をさぐるたびに触れるあの指の硬さ、金属をあてられたようなヒャッとしたあの感じは私にはうまく表現できないが、何か患者の生命本能を怯えさすものがある」(19‐20ページ)。彼の冷たい指に触れられるたびに、実験の物体として扱われているような気がして語り手は不安になる。そして彼の不安は的中する。旅先の福岡でたまたま医師と話していた彼は、勝呂の過去を知ってしまうのだ。なんと彼は戦争犯罪で二年の刑期を終えていた。

触れられた瞬間、語り手は生命の危機を感じる。そうした直感には深い意味がある。木村敏かな、かつて精神医学の本を読んでいたとき、患者が診察室に入ってきた瞬間に感じるもので、実は病名はわかってしまう、というくだりが気になったことがある。同じ空間を共有することで伝わるなら、一度触れれば、その感覚は揺るぎないものになるはずだ。

指先の湿り気や温度、力の入り具合の微妙な加減で、今まで相手がどう人と向い合ってきたのかがわかってしまう。そのとき、医学とは患者の健康のためのもの、といったお題目なんて関係ない。理屈を超えて相手の深い部分が飛び込んでくる。表面からは何重にも隠された嘘がわかる。そして信頼関係は一瞬で崩れる。

疲労と無力感のなかで

あとはその語り手の直感を、事実で裏付けていくだけだ。戦時中、F大学の医学部で研究生として勝呂は働いていた。彼の最初の患者は、結核を患う、痩せこけたおばさんだ。入院中の彼女は、戦場にいる息子との再会することだけを願って病魔と闘っている。だがもはや手の施しようもない。それでも勝呂はなんとか彼女を救おうとする。だか勝呂の思いも虚しく、彼女は空襲や天候不良のストレスが重なって死んでしまう。

いくらがんばっても次々と患者は亡くなる。病気で死ななくても、空襲で、また戦地で人の命がいくらでも失われていく。しまいには、人が死んでも誰も何も思わなくなる。勝呂もまた、疲労と無力感のなかで、いつしか考えることを止める。

軍からF医大に捕虜の生体解剖実験をやらないかという話が持ち込まれたのもこのころだった。軍にとって塩水を血管に注入したりする実験は、戦場で使える医学の進歩に大いに貢献する。そして肺をどこまで取っても人は死なないか、という実験は結核治療にも大いに役立つ。

関わった軍人は、軍の力を増すことしか考えていない。そして主任教授は、軍との太いパイプを築ければ、やがては医学部長になれるかもしれないと思っている。助手にとっては講師に上がるためのまたとないチャンスだ。そして看護師は、密かに愛している主任教授を助けたい。

だが勝呂は違う。彼には積極的な欲望などない。ただこう思っているだけだ。「考えぬこと。眠ること。考えても仕方のないこと。俺一人ではどうにもならぬ世の中なのだ」(88ページ)。重なる疲労のなか、彼は目先の人間関係に摩擦を起こしたくない、とだけ彼は願う。

この話を断れば、必ずや教授に疎まれるだろう。どんな形であれ医者を続ける以上、権力者である教授との関係は一生続く。それを台無しにしてまで断る意味があるだろうか。そして勝呂は、断ったわけではない、という実に曖昧な形でこの実験に参加する。

この直前に勝呂は、同僚の戸田に、このまま参加してもいいのかと問われる。そんなことをして神が怖くないのか。だが彼はこう答えるのだ。「俺にはもう神があっても、なくてもどうでもいいんや」(92ページ)。もし神がいるのなら、あれほど生きてほしいと願ったおばさんは、まだ元気でいるはずではないか。けれども神は彼女を助けてはくれなかった。ならばそんな神はもう、いてもいなくてもいい。

こうしてずるずると勝呂は殺人に手を貸す。いや、実際には手術室にいただけで、何一つ自分ではしなかった。それでも。何年もあと、西松原の病院で勝呂はこう漏らす。「仕方がないからねえ。あの時だってどうにも仕方がなかったのだが、これからだって自信がない。これからもおなじような境遇におかれたら僕はやはり、アレをやってしまうかもしれない……アレをねえ」(30ページ)。

組織と正義

彼の言葉には、自分の主体的な判断で人を殺した、という自覚がまるでない。なんというか、徹底して人ごとなのだ。確かに悪いことをしたと思っている。だがあのとき殺人に関わった自分は自分ではなかった。だから、もしもう一度同じ情況が起こったら、また同じことをしてしまうかもしれない。

どうしてこういう思考法になるのか。組織のなかでは人は変わる、というのが一つの答えだろう。組織において、個人の意志は組織の意志に縛られる。そして組織の意志が大きく倫理を踏み越えたとしても、個人には抵抗は難しい。しかも、トップに至るまでの全員が、こうなった以上仕方がない、という思考法を取っていれば、責任の主体がないまま、組織の意志は暴走する。

どうやら遠藤周作は、日本の組織でこうした現象が起こり続けるのは、日本にキリスト教的な裁く神がないからだ、と考えているようだ。だから教授の妻であるドイツ人のヒルダを登場させている。彼女はきちんと患者を助けようとしないF医大の看護師を叱りつける。「死ぬことがきまっても、殺す権利はだれもありませんよ。神さまがこわくないのですか。あなたは神さまの罰を信じないのですか」(113ページ)。

だが、彼女の言葉は僕には上滑りに聞こえる。もし神がいれば組織の意志に個人が抵抗できるのならば、キリスト教圏の組織は、倫理にもとることは決してできないはずだ。しかしナチスの蛮行について考えればわかる通り、まったくそうではない。

だから僕らは、日本型の組織は無責任、あるいは神なき国では世間体しか倫理の基盤がない、といった、遠藤周作的な問題設定を書き換える必要があるのだ。どうして組織は常に独立した意志を持ち、ときに倫理を踏み越えてしまうのか、それを統御するにはどんなシステムが必要なのか。

勝呂という存在は、特殊な日本文化の産物ではない。現代世界に住む僕らは多かれ少なかれ勝呂であり、だからこそ、正義とは何かを問い直さなければならない。

参考文献

遠藤周作『海と毒薬』新潮文庫、一九六〇年。

5

国立

プロローグ——桜並木のヴォルテール

多和田葉子『犬婿入り』——谷保天神のニワトリ

大岡昇平『武蔵野夫人』——ウグイスとメジロ

黒井千次「たまらん坂」——坂とロック

プロローグ――桜並木のヴォルテール

国立と言えば桜並木だ。駅から南に向かって真っ直ぐ伸びる大通り沿いの桜が満開になると、街全体がこの世のものとは思えないくらいのパラダイス感に包まれる。金沢編にも登場した、味噌屋の息子の舟木君が一橋大学に受かって、僕が北君と引っ越しの手伝いをしに行ったのもこの季節だった。

駅前のミスタードーナツでお土産として一箱買い込んだ。舟木君の合格が、なんだか自分のことのように嬉しかったのだ。不思議なことに、ちょっと古めのアパートの棚には前の住人が置いていったらしい文庫本の列が並んでいた。

「や、これは珍しい。ヴォルテールの『哲学書簡』ではないですか。くれよ」と僕が言ったら、舟木君がちょっとムッとしていたのを憶えている。当時絶版だったんですね。でもちゃっかり貰って帰ったけど。おかげで、今でもヴォルテールは大好きだ。

東京のあれこれが珍しくて、僕らはそのあと、今はなき雑誌『ぴあ』を片手に遊び回った。鴻上尚史率いる第三舞台の芝居を新宿の紀伊國屋ホールで見たのもこのころかな。筧利夫のクドい演技を今でも憶えている。舟木君はこれに影響を受けたのか、そうでもないのか、いずれにせよ突然、演劇に目覚めてしまった。

彼が入ったのが、今でも存在するサークル、劇団己疑人だ。コギトってデカルトの「我思う、ゆえに我あり」っていう例のあれだね。当時の己疑人のアトリエは大通りを挟んで一橋大学の東側キャンパスにあった。ぼろぼろの小屋みたいなところに、自分たちで何かやってやる、という感じの男女が十人くらい集まっていた。

ライバルは隣の部室にあったパパ・タラフマラで、小池博史というすごーく有名な人に率いられた、すごーく有名な劇団だった。いや、パパ・タラフマラの方ではどう思っていたかはわからない。あんまり気にしていなかったのかも。だってもうこのころでは、イギリスやドイツで公演していたぐらいだからね。

それでも僕は、この己疑人の人たちが作る世界が好きだった。第三舞台みたいなナンセンスな笑いに満ちた作品もあれば、ピナ・バウシュみたいな、音楽と踊りで作り上げたパフォーマンスもある。まあ、要するにバラバラなんだけど、それは団員一人一人が好きにしているってことで、そうしたバラけた感じが当時の僕にはしっくりきた。

公演のたびに舟木君に呼んでもらって、その後の打ち上げにも必ずといっていいほど参加し、団員たちと延々と話し続けた。だからって、取り立てて何について話したってことでもないけど。ただ、なんとなく一緒にいて、酒を飲んだり、たまに楽器を弾いたりすることがとても貴重だったんだろう。そのまま朝になることもしばしばだった。

でも僕は劇をやることはなかった。たぶんすでに、自分は書き手になる、と決めていたんだと思う。ただ、何をどう書けばいいかはわかっていなかった。だから、詩を書いたり評論を書いたり、別の仲間と同人誌を出したりしていたけど、これ、というものは見つけられなかった。

かっこいい批評家の文章を真似してうっとりしたり、あるいはこんなものダメだと思って落ち込んだり。まあ、普通の大学生だったんだね。そのときは自分がアメリカ文学研究をやったり、翻訳をやったりするようになるとは思っていなかった。

そこへいくと舟木君は輝いていた。だって、もう自分のヴィジョンをちゃんと舞台にしていたんだから。特に憶えているのは、吉増剛造の詩を使ったパフォーマンスアートだ。島尾敏雄や島尾ミホの作品にハマっていた舟木君は、南島つながりで吉増剛造にも凝っていた。

そこで彼が作ったのが「河の女神の声が静かにひびいて来た」という詩語を繰り返しながら展開していく、声と体の動きで構成された作品だ。自分の感覚を信じて、吉増さんの言葉をリミックスしながら、そこで湧き上がってくるものを表現する。素直にかっこいいと思った。

「才能がないからこそ作れるものがある」と当時の舟木君は語っていた。この言葉に僕は大いに揺り動かされた。一生の仕事として文学をやっていきたい。でも果たして自分には才能があるのだろうか。そうした、典型的に青臭い疑問で僕の心はグラグラだった。だから、そんなもの関係ない、と言い切る彼の言葉に強さを感じた。

そのあと僕は大学の先生になり、翻訳や評論なんかをしながら、文学にたずさわる仕事を続けている。才能があったのかどうかはいまだにわからないけど、三十年ほど続けて来られたんだから、あったことにしてください。一橋大学ともすっかり縁がなくなった今でも、ときどきあのアトリエのことを思い出す。

僕が大学を出たあと実家が多摩地区に引っ越したので、今もたまに国立に行く。当時通っていた駅前の、奥に細長い古本屋に入って、文庫本を漁ったりする。そうしていると、たまに自分がいつの時代にいるのかわからなくなる。このまま、あのアトリエに戻れそうな気がする。

多和田葉子「犬婿入り」――谷保天神のニワトリ

国立駅で降りて南に向かうと、整然とした町並みが続く。桜並木のある広い大学通りの両側が一橋大学のキャンパスで、その周りにはかなり高級な住宅街が広がっている。もちろん学生もたくさん住んでいるから、書店も多い。僕が好きなのは増田書店で、特に地下には、田舎の本屋とは思えないほど専門書が並んでいる。

他にもおしゃれな洋書店、北欧雑貨の店、カフェなんかが点在している。国分寺と立川という、良くも悪くも地元感の強い二つの街に挟まれているのに、国立だけはとってもハイソで人工的な感じだ。一駅違うだけで、収入も地価もだいぶ上がる、というか。

僕が好きなイタリアン・レストランの「文流」もここにある。文流というのは文化交流の略で、もとはイタリア語の書籍を売る会社だったらしい。もっとも、僕はイタリア語は読めないから、お世話になるのは食事のほうだけだけど。

ここのシェフは翻訳家のくぼたのぞみさんの息子さんだ。だから、たまにくぼたさんや他の人も交えて食事会をする。本場仕込みの料理はどれもとてもおいしい。ときどき厨房からシェフが出てきて、くぼたさんと親子の会話をする。

「またオリーブオイルちょうだい」なんて言っている姿は完全にお母さんで、それに対しておしゃれレストランのシェフが「はい」なんて神妙に答える。その周囲との違和感がいい。ああ、どんな人にも家族があるんだなあ、と思うと、少し心が温まる。

以前食事会のメンバーにイタリア文学の和田忠彦先生が加わったことがあった。「ここの会長が若いころ、イタリア語の本を背負って京都まで売りに来てね。よくお世話になったもんだ」なんて、わりと恐めな昔話をしてくれる。

すると店の奥から年輩の紳士がすっと近づいてきた。なんと文流の会長本人だと言う。店に和田先生が訪れると聞いて、わざわざ挨拶に来たんだとか。『文藝春秋』の旧友交歓みたい。すごいシーンを見せてもらった。

「文流」のメニューは全部イタリア語で書いてあり、なおかつ、タリアテッレみたいな謎の用語が並んでいるので、普段は注文に苦労する。フロアの人に、これはどんな料理？　何が入っているの？　どんな味？　なんていちいち訊かなくてはならない。

でも和田先生は違った。全部の項目を理解した上で、フロアの人に細かく質問している。気づけば「てにをは」以外、ほとんどイタリア語で会話していた。しかも、メニューにないものまで注文したらしい。一体どうやって？　で選んでもらった料理は、当然ながら絶品だった。

北と南にわかれた街

さて、こんな素敵な国立の街だが、南にずっと下って行くと、途中で様子が変わってくる。富士見台第二団地というUR住宅があるあたりから、縦横の整然とした町並みは斜めに傾き、南部線の谷保駅から南は、甲州街道以外、畦道のような細い通りばかりになる。雰囲気だって違う。北側がぱりっと明るい近代的な雰囲気だとしたら、南側はもやっと暗い、なにやら農村っぽい。懐かしい昭和の感じというか。そのただなかに、僕の大好きな谷保天満宮がある。

福岡編でも書いた通り、僕は好き過ぎて太宰府天満宮に何度も通っている。でその愛が高じて、全国の天満宮への気持ちが盛り上がってきた。だから湯島天神なんかも好きだ。そして学生時代の僕が、こっそり深く愛していたのが、この谷保天満宮である。

何しろ森に囲まれているのがいい。しかもあまり人がいないのもいい。ガランとした境内では、大量のニワトリが歩き回っている。放し飼いだから、全員が好き勝手にしている。僕はここで、ニワトリは飛ぶんだ、ということを知った。

そこそこ大きな羽根をバサバサバサと揺らして、気づけば意外に高くまで飛び上がっている。そして木の上からこっちを見る。人がいないから、ここでのお参りはそのまま、ニワトリとの勝負となる。どうしたら勝ち負けが決まるのかはわからないけど。

この神社で、人生の方向がさっぱり見えない当時の僕は、学問や恋について多くをお願いした。もちろんそれらの多くは、自分の努力なしにはかなわないものだけど、それでも祈ると気持ちが落ち着いた。そして、心が静かになれる場所は、人間にとって貴重だと思う。

ニワトリと暮らす南側

さて、国立の北側と南側の違いは多和田葉子の「犬婿入り」でも扱われている。北側を象徴する団地はこんなふうだ。「なにしろこの団地では団地文化が始まって三十年の間に、自分の家の中は毎日きちんと片付けても外の通りに捨てられていた気味の悪い物には触らない伝統が定着し、道の真ん中に車にひかれた鳩がつぶれていても、酔っぱらいのウンチが落ちていても、それを片付けるのは市役所の仕事と決めつけていて」(80ページ)。

自分の領域はきれいにしても、外には一切干渉しない。そして汚い薄気味悪いものは、別の誰かに任せてしまって、自分たちからは切り離してしまう。いったんこうした文化が定着すれば、やがて自分たちの規範にそぐわない人々を排除するようになるのは目に見えている。

と言って、批判するのはたやすいが、実はこれは、現在の僕らの姿でもある。小ぎれいで理解しやすいものが好きで、逆に汚かったりわかりにくかったりするものが嫌いだ。すべての答えはスマホでググれば出てきて、好きな店は全部モールのなかにあり、全国チェーンの味で満足してしまう。こう言ってみるとつまらなく聞こえるが、そのなかにいる僕らはけっこう快適に暮らしていたりする。

だが、国立の南側は違う。「北区に人が住み始めたのはせいぜい公団住宅ができてからのこと、つまりほんの三十年ばかり前のことで、それに比べて多摩川沿いには、古いことを言えば、竪穴式住居の跡もあり、つまりそのような想像も及ばない大昔から人が暮らしていたわけで、稲作の伝統も古く、カドミウム米の出た六〇年代までは堂々と米を作っていたし、また〈日本橋から八里〉と刻まれた道標の立っているあたりは、小さな宿場町として栄えたこともある」(89ページ)。

古代から延々と人が住み、台地を耕し、生き延びてきた南側には歴史が積もっている。だからそこここで縄文時代や江戸時代の断片が顔を出す。それは現在の目では、ときに汚く理解できない。たとえば、どうして道がそんなに狭く曲がりくねり途中で途切れるのか、そしてやたらとニワトリが歩いているのかわからない。道は真っ直ぐ太くして、動物は檻に入れて管理したほうがよっぽど便利で効率的ではないか。

どうして道がそうなのかと言えば、そこに田畑があり、高低差があって、それらをきちんと反映していたからだ。人間が歩くことを基準に作られた道には、自動車を基準としたものとは違う合理性がある。そしてどうしてニワトリがいて、おまけにキツネまでいるのかと言えば、人間と動物は長く、家族や隣人として暮らしてきたからだ。

別のものが侵入してくる

大人たちは北側の清潔さの論理のなかで満足している。けれども子供たちは違う。だから大挙して南側に向かう。南側の元農家には、みつこ先生の塾があるのだ。「子供たちは塾へ行く日が来ると、まるで団地の群れから逃れようとでもするように、せかせかと多摩川の方向へ向かい、広い自動車道路を渡って、神社の境内の隣を通って、梅園をこっそりくぐりぬけて近道し、北村みつこの家の垣根の壊れたところをくぐりぬけて、庭に跳び込んで行くわけだった」(90ページ)。

どうしてみつこ先生の塾に行きたいのか。彼女は団地の論理のなかでは相当に変わっている。サングラスをかけ、桜の木の下でポーランド語の本を読んでいる。三十九歳なのに結婚しておらず子供もいない。子供たちには、一度使った鼻紙は濡れたままもう一度使え、三度目はお尻を拭けと教える。ニワトリの糞を煮て作った膏薬を肌に貼り、女の子たちの前で大きな乳房をボロリと出す。

大人たちは彼女を受け入れられない。けれども子供たちは夢中だ。エッチで汚くて、しかもどの大人も知らない遠い世界のことを知っている。その上、彼女は寛容だ。髪の毛を洗わず靴下も履いていない、太った扶希子ちゃんが他の子供たちに鼻くそをつけられていると、全員に鼻くそを貼りつける手帳を配っていじめを解決する。

子供たちの行動は、大人たちの丸映しだ。汚い理解できないものを見下し排除する。だがみつこ先生は違う。ただいじめを禁じるのではなく、ノートに鼻くそを集めるという別の楽しさを提示する。別の論理を導入して、きれい／汚いの二項対立を解消してしまう。子供たちは彼女のそうした力を直感的にわかっている。

突然、みつこ先生のところに犬男の太郎がやってくる。太郎は突然みつこ先生の肛門を舐め、延々と臭いを嗅ぎ、彼女と交わったあと急にもやしを炒め始める。部屋を掃除しながら蜘蛛の巣をどんどん食べる。美しいみつこ先生の顔をろくに見ない。彼女は普通の男にない太郎の魅力に夢中になる。子供たちも、太郎の姿が見たくてたまらない。

普通の会社員だった太郎は林道で犬の群れにおそわれ、そのときに何か悪いものに取り憑かれてしまったらしい。だがみつこ先生はそんなこと気にしない。太郎から、臭いで多くのことを知るやり方を学ぶ。そして自分の感情が変わると、自分の体臭も変わることに気づく。彼女はそうやって、自分のなかに秘められていた動物的な感覚を目覚めさせるのだ。

今や日本を代表する作家となった多和田葉子は、国立の北側と南側の境界に位置する富士見台第二団地の出身らしい。そしてこの作品に限らず、論理と合理性に支配された世界に、音や感情や臭いなどを通して、別のものが侵入してくる情況を好んで描いている。
現代社会という国立に住んでいる僕らは、その外に出ていく方法を彼女の作品の登場人物や動物たちから学べる。そのとき大いに喜んでいるのは、僕らのなかに元々住んでいた小さな子供たちだ。

参考文献

多和田葉子『犬婿入り』講談社文庫、一九九八年。

大岡昇平『武蔵野夫人』――ウグイスとメジロ

父は僕にとってはずっと謎の人だった。都会にしか住んだことのない僕にとって、木は木でしかないし、草は草でしかない。どれを見ても区別がつかず、名前は知っていても実際のものとは対応していない。けれども父は違う。

一緒に道を歩いていれば、目に入ってくるあらゆる植物の名前を言い続ける。週末になれば、海に釣りに行き、山に山菜を摘みに行く。金沢だろうが東京だろうが、どこに住んでいても暮らし方は変わらない。

近所の猫はみんな父に懐いていて、表に出ると寄ってくる。「猫ちゃーん、ニャー、ニャー、かわいいねえー」とか言って、気づくと猫たちが地面で腹を見せてコロコロ転がっている。別に餌をやっている様子もないのに。一方僕は、犬も猫も飼ったことがないから、どれを見ても恐いばっかりだ。

こないだ正月に里帰りしたときも、正月の挨拶なんてほとんどなしに、「みんながウグイスだと思い込んでいるウグイス色の鳥は実はメジロで、ウグイスは地味な色をしている。だからみんな見ても絶対にウグイスだとは気づかない」ことについて熱弁していた。いや、気持ちはわかるけどそこまで重要か？

以前は僕は、父が大分県の山奥にある農家で育ったからだろうと思っていた。そしてやたら植物の名前に詳しいのは、大学で農学部の園芸科を卒業したからだと。でもちょっと考えればわかるように、農家の人がみんな動物と仲が良いわけでもないだろうし、園芸科卒の人が植物の名前を覚えまくっているわけでもない。

退職後はこの傾向がさらに加速した。国立からそれほど遠くない場所にある実家から、自転車に乗って延々と走り回っている。連日多摩川の河川敷まで行き、鯉を釣っては放し、釣っては放しで、一年で数百匹も釣り上げている。もちろんそんなに魚がいるわけではない。同じ場所で、同じ魚を何度も釣っているだけだ。

さらには河川敷に住んでいるホームレスのおじさんと顔見知りになり、庭木を植えたり作物を育てたり、充実した暮らしを送っている、という話を聞いてきた。坂口恭平がホームレスの人たちに弟子入りしてしまう『0円ハウス』はすごい、と思っていたけど、気づけば自分の父親も似たような活動をしていたというわけだ。

彼らの姿に刺激を受けたのか、いつしか父の頭のなかに西東京狩猟採集マップができあがっていた。良い柿の木があれば、その家の人と交渉して取る許可をもらう。公園の銀杏が大量に落ちていれば、公園事務所のおじさんと交渉して、早朝、他の利用者さんが来ていない時間帯なら取ってもいいよ、と話を付ける。

こうして父は様々な獲物を求めて、かなりの距離を自転車で走り回っている。そうして捕獲してきた食べ物を、自宅で加工して貯蔵する。だから実家に行くたびに、なんだかわからないものが干してあったり、台所で延々と父が何かのジャムを作っていたりする。

バブルの最後のころ学生時代を過ごした僕は、お金で計られる価値にどっぷりつかって育った。だからデートはフランス料理だし、外車に乗りたいし、ブランド品のバッグや靴が欲しかった。大してお金もないのにそうした感覚だけは身につけていた僕にとって、父の行動は理解不能だった。

でも今、平成も終わったタイミングで考えると、父の価値観こそが先進的だったのかもしれない、と思う。日本国における資本主義の中心地である東京に住みながら、都市の思考法をまったく受け入れず、そこに住む木や魚や猫やホームレスをつないで勝手な東京を創り出し、お金を介さずに楽しく生きている。

結局ウグイスとメジロの話を最後まで聞いた僕は、なぜか父と一緒に大根を収穫することになり、近くの市民農園に行って、巨大な大根を数本抜いてきた。なんでも、父の区画は驚異の収量を誇っており、そこで獲れたニガウリの種が盗まれたりするという。次の年に他の区画を見れば、誰が盗んだかわかる、とのこと。

その大根は自宅では食べきれず、大学院生にあげた。「ほしいですー。嬉しいー」とか、予想外にものすごく喜ばれて、なんだか面はゆかった。マルセル・モースの『贈与論』なんて読むと、プレゼントこそが人間をつないできたと書いてあるけど、本当にそうなのかもしれない。

西東京の不倫

さて、大岡昇平『武蔵野夫人』の話だ。多摩川の支流、野川の近くに、はけと呼ばれる地帯がある。河岸段丘の崖のところから水が湧き、古くから農業用水や飲み水として使われてきたという場所だ。ここに住んでいるのが、フランス文学者である秋山と道子の夫婦である。

二人のなかは冷え切っている。戦後のにわか景気で、昔訳したスタンダールの本が売れている秋山は、この勢いのまま近くに住む富子を愛人にしようと画策する。その富子は夫の工場主である大野と冷えた関係を続けている。

けれども道子は古い道徳観に殉じるように、この関係を形だけでも保とうとがんばる。そもそも親の反対を押し切って秋山と結婚したのに、別れるとなったら体裁が悪いという意地もある。だがこの彼女の決意は、いとこの勉がビルマ戦線から復員すると揺らいでしまう。

外国で極限状態における人間のあさましさを見尽くした勉には、単なる立身出世のために文学をやっている秋山にはない凄惨な魅力がある。ただでさえ美貌の彼が、富子の家で家庭教師をやるために道子の家に住み始めると、いつしか二人は互いを意識するようになる。

恋ヶ窪で恋に落ちて

道子が自分たちの恋をはっきりと意識したのは、国分寺市の恋ヶ窪（！）という地域だ。野川の源流である泉があり、今は日立の研究所になっているあたりを二人で歩いているとき、この感情は恋だ、と道子は気づく。彼女は全力でこの恋に抵抗する。だがそのことによって、かえって彼女は火に油を注ぐ結果となる。

家を捨て、夫を捨て、自分の道徳観も捨てて勉と一緒になるべきか。あるいは、自分の美学を貫いて自らの恋心に徹底的に抗うべきか。彼女はそのどちらにも決められないまま、ずるずると追い込まれていき、遂には悲劇的な結末に至る。

戦争から帰って来た勉は、日常的な世界になかなか復帰できない。空を飛行機が飛んでいれば、攻撃されるのではないかと身構えてしまう。ときどき、何も起こっていないのにビクッと体を動かす。おそらくは無意識のうちに戦場での体験を思いだしているのだろう。それだけではない。武蔵野の森を歩いていると、突然目の前にビルマの原野が広がる。

すると砲声や兵士たちのうめき声すら聞こえてくる。ＰＴＳＤから癒えることのない彼は、記憶と現実のあいだをさまよい続けているのだ。

だから、風景についても他の人とは受けとり方が違う。はけの斜面に自然についた道に、彼は労力を最小限にしようとする人間の努力を見て取る。斜面に応じて微妙に太くなり、また細くなる道の流れを、彼は美しいと思う。

彼が道子に惹かれたのも、彼女の言葉や動きに無駄がまったくないからだった。

ことに彼の注意を惹いたのは、彼女の動作に無駄《むだ》のないことであった。何もすることがない時、彼女は正確にじっとしていた。そして決して無駄な口をきかなかった。

こういう動作の正確と経済に敏感なのは、多分彼が必要なことしかしない、またしてはならない戦場から得た習慣である（65ページ）

日常生活とは違って戦場では、多弁や落ち着きのなさは死に直結する。エネルギーを浪費する者は、いざというときに生き残ることができない。そして勉は、古い価値観のなかで育った道子の仕草に、高い生存可能性を感じて美しいと思う。

そもそも彼が斜面や道といった地形に興味を持っているのも、兵士として常に逃げ道を探り続ける習慣があったからだ。こうした思いも道子となら共有できる、と思い込んだ勉は、武蔵野の地理を探るための散歩に彼女を誘う。そして二人で恋ヶ窪へと至るのだ。

もちろん彼女は、勉の地理的な話になど興味がない。「勉の時々くどくなる衒学《げんがく》的な説明をおしまいまで我慢したのは、彼の声を聞くのが楽しかったからである」(77ページ)。声を聞くのが快いからこそ、つまらない話を聞き続ける。これこそが恋の定義ではないか。

男らしさの無力さ

社会の決まり事の外側にいる勉に対して、道子の夫である秋山は、世間の価値観にがんじがらめになっている。醜く貧しい彼は、立身出世の手段として文学研究を選ぶしかなかった。「埼玉県の貧農の家に生まれた彼は、少年の時から出世のことより頭になかった。生来おとなしく意気地《いくじ》なしの彼は、学問による道を選ぶほかなかったが、文学を志したのは、たとえば数学のような確実な学問で衆に抜きんでるには頭が悪かったからである」(18ページ)。

自らも文学に関わっている大岡がここまで辛辣に秋山のことを書くのがすごい。そして大岡と同じく、秋山はスタンダールを翻訳し、それが当たって小金を持つようになる。妻の裕福な実家に暮らす彼はもともと肩身が狭かった。けれども経済的に貢献できるようになると、途端に傲慢になる。

そしてスタンダールの小説で読んだような浮気をしてみたいと思い始めるのだ。相手は富子だ。しかし彼は富子を愛しているわけではない。まったく情熱のないまま、彼は富子をくどき続ける。

「ただ彼は相変らず説得によって女の心を得ることができると思っていた」(127ページ)。人間の心を解さず、ただお勉強の対象として文学を学んだ秋山のダメさを、こんな一言で摑み取る大岡の力量には圧倒されてしまう。結局秋山は、富子の気紛れによって関係を結ぶことに成功する。だがそうしながら、ようやくこれは自分の求めていたものじゃないのでは、と気づくのだ。

スタンダールを学び、フィリピンで兵士として戦った大岡は、自分の体験を二人の男に分裂させ、その弱さや悲しさを内側から描ききる。彼らが信じた男らしさはどちらも、愛の前では無力だ。学歴エリートや軍人といった近代日本の男性像がいかに底の浅いものだったかを、不倫小説という枠組みを使って彼が表現しているのが興味深い。

参考文献
大岡昇平『武蔵野夫人』新潮文庫、一九五〇年。

黒井千次「たまらん坂」――坂とロック

国立の有名人と言えば、もちろん忌野清志郎である。じゃなくて山口瞳だろ、と思う人もいるだろうが、まあ許してください。まだ中学生の僕にとって、『い・け・な・いルージュマジック』のプロモーションビデオは衝撃だった。なにしろ、あのイエロー・マジック・オーケストラの坂本龍一が化粧をして、これも化粧をした得体の知れない男の人とキスしているのである。何ごとだ。しかもあの、一語一語明瞭にわかる特徴的な声で「いけないよ」とか言っている。何がいけないんだ。しかもルージュマジックって何だ。わけがわからない。

そのころ僕は、デュラン・デュランやカルチャー・クラブなど、イギリスの軽めのロックを聴いていた。明るくて、流行の感じで、歌詞がわからない。それが良い曲の条件だと思い込んでいた。いわゆる、洋楽のほうが偉い時代というやつですね。だからこそ、清志郎が日本語で歌う曲は異質だった。言葉が入ってくる。しかも性の境界を乗り越えている。ポップだけどやたらと危険な感じがする。一気に惹き付けられた。

高校に入るとスタイル・カウンシルなんかのおしゃれロックを聴いたり、セックス・ピストルズみたいな古典を聴いて、不良な気持ちになったりしていた。プリンスなんかの黒っぽい音楽を聴き始めたのもこのころである。それでも、清志郎はいつも聴いていた。

大学受験の重圧に苦しんでいたころ、自習の時間に教室を抜け出して、屋上で寝っ転がりながら『トランジスタ・ラジオ』を一人で小声で歌ったりした。教室で勉強している女の子を思い浮かべながら、イギリスやアメリカから聞こえてくる音楽をポケットのなかのラジオで聴く。そんな歌詞に涙が出てきた。どうして清志郎は僕の気持ちをこんなにわかってくれるんだろう。

一橋大学の劇団己疑人のアトリエでも、いつもRCサクセションの曲がかかっていた。『不思議』なんかを聴いていたのを思いだす。久しぶりに再会した彼女は英語教師になっていて、自分はロッカーをやっている。政治運動の敗北のあと、資本主義なんて糞食らえとは思い続けているけど、結局自分もその手先に成り果てている。でもいいんだ、自分なりの筋を貫き通しているんだから。こうした歌詞が、自分には何かできるはずだともがいていた僕らの気持ちにぴったりと重なった。

文学で独立する方法

清志郎の『ロックで独立する方法』を読むと、自分がいかに彼の考え方に影響を受けてきたのかわかる。もっとも僕の場合は、「文学で独立する方法」だけど。自分の好きな道で、メディアと付き合いながら、売れ線にも行かず、でも消えるわけでもない持続可能なやり方で、自分が面白いと思うことをやり続けるのがいちばん、とでも言ったらいいか。

清志郎は言う。ミュージシャンになりたい、なんてことが最初に来てはならない。あくまでこういう音楽がしたい、というのが最初。でそこからが勝負になる。好きなことを貫く以上、どんな努力も努力じゃない。遊んでいるだけ。だから何も犠牲になんかしていない。

売れなければ世間はお前が悪いと言うだろう。けれどもそんなときに反省してはだめだ。わかってくれない世間が悪いと自分に言い聞かせながら、あくまで自分を貫くこと。そして決して止めないこと。止めたら、自分がつまんないと思ってきた音楽を受け入れることになるぞ。「そこでやめるとなるとさ、そのつまんない音楽を認めなきゃいけないっつうことになっちゃうからね」(31ページ)。

清志郎の言葉は僕に突き刺さってくる。そしてまた、自分は文学を止めない、ということをしてきたんだなあ、と思う。翻訳家になり、学校の先生になり、今は書評を書き、エッセイを書いている。どれも予想外の展開だったけど、自分が面白いと思うことをいかに妥協なく、なおかつ楽しんでもらえる形で実現できるか、という点では共通している。

清志郎の本を読んで、自分の初心に戻れた気がした。売れるとか売れないとか、人気があるとかないとかこっそり気にしてきたけど、そんなこと関係ないんだ。ただ、自分と仲間を大事にして、文学に向かう気持ちを大事にすればいいんだ。ロックで独立してきた大先輩にあらためて教わった気がする。

清志郎に触発された小説

さて、清志郎には国立を舞台にした歌がある。『ぼくの自転車のうしろに乗りなよ』では、彼女を自転車の後ろに乗せて坂を下り国立に行く。ということは、わりと急な坂がある北の国分寺側から来ていることがわかる。ちなみに、清志郎の実家もここらへんだ。二人乗りで南口に出て大学通りを走り、一橋大学の芝生の上で寝転ぶ。いつも君は「あなたは悪くない」と僕に言ってくれたね。愛してくれてありがとう。という感じの歌詞だ。確かに、世界でたった一人でも肯定してくれるから生きられる、という時期があるよな。

そしてもう一つが名曲『多摩蘭坂』である。国分寺駅の南側から国立に向かって下っていき、そのまま進むと一橋大学のキャンパスに突き当たる、という坂だ。坂の途中の借家に住んでいる主人公は電話のベルでふと目を覚ましてしまい、君のことを思いだす。そして月を眺めて、君の口に似ているなあ、と思う。ということは別れてしまったんだろうか。悲しくて、切ない。聴いていて涙が出てくる。

黒井千次の「たまらん坂」は、この曲に触発されてたまらん坂の来歴を調べるという話である。ある日主人公がこんな光景に出くわす。なんと、妻と息子が一緒にRCサクセションのレコードを聴いているのだ。妻がこんなにうるさい音楽を好んで聴くなんて。彼は妻の知らない一面に驚く。今となっては不思議だが、この作品が書かれた八〇年代初頭でも、ロックはこうした感じのものだった。

実際僕も、母親とテレビでRCサクセションのライブを見ていたら、父親が怒りだしたのを思いだす。『雨上がりの夜空に』の歌詞に、こんなロックなんてやってないで明日のことをちゃんと考えたほうがいい、と「俺」が誰かに言われる部分があるのだが、それを聴いて父親が、そうだ、ちゃんと考えろ、と清志郎に毒づいていたのだ。僕はムッとしながら、同時にうまいこと言うな、と感心した。

さて、「たまらん坂」に戻ろう。驚いたわりには、主人公は清志郎の歌に心を揺さぶられてしまう。そして「曲は多摩蘭坂の途中の家を借りて暮らしている若者の、どこか淋しげで甘美な心情を乾いた声で歌い続けている」（19ページ）と思うのだ。これはもうファンではないか。そして奇妙な情熱に駆られて、たまらん坂の来歴を調べ始める。

「たまらん」の由来はどこにある

最初の手がかりは清志郎のインタビューだった。とはいえ、息子が以前読んだろう覚えの情報だから心許ない。それによれば、叢林の小道を逃げ延びた落武者が、意外と急な坂に思わず「たまらん」と声を漏らしたのが名前の由来らしい。

主人公はこのイメージに人ごとでないものを感じる。確かに自分もがんばって生きてきた。けれども成功者とはとても言えない。「現代の己を際立った落後者とも敗残者とも感じているのではなかったが、晴れがましく勝利した者でないことだけは明らかだった」(26ページ)。こんなはずではなかった、という思いと、でもこうとしか生きられなかった、という思いが交錯する。どんな人でもそうではないか。

そして落武者の嘆きに主人公は共感する。ときに弱く惨めにもなる自分もまた落武者ではないか。「たまらんなあ、と低く呟くと、なにがたまらんのか言葉を発した者自身がよくはわからないのに、たまらん、たまらん、と背後で深い声が答えてくれた」(26ページ)。こうして、若者の思いは中年の嘆きに横滑りする。

主人公は書店や公立の図書館を巡り、郷土資料を漁る。だが彼の歴史ロマンは初日に崩れ去ってしまう。なんと一九三一年、神田から一橋大学が移転してきたときに、名もない叢林の小道を拡げたものだったのだ。そしてついに、たまらん坂という名前を考案した元一橋大生たちの手記に辿り着く。

大学の移転当時、中央線は通っていたものの、多くの列車は手前の国分寺駅で折り返し運転をしていた。なので一本乗り遅れてしまうと、授業に間に合うには国分寺駅からの道のりを大学まで延々歩かなければならない。ただでさえ遠いのに、雨など降ろうものなら整備されていない道はどろどろになる。こりゃたまらん。

ほかにも二つ説が出て来る。「昭和の初め頃にこの坂をランニングで登り降りした大学生達が急な勾配に閉口して、これはたまらん、と繰り返したところから坂の名前がついた」(34ページ)。そして最後のものがこれだ。当時男子校だった一橋大生たちが、坂を行く女学校の生徒を見て、「わしゃ、もう、たまらん」とつぶやいた。そこからたまらん坂と付いたのだ。

結局のところ由来は確定しない。いや、歴史書じゃないんだから、確定する必要もないだろう。ただ、一橋大生たちの青春の苦悶が坂の名前になって残っている、というだけで充分だ。というか、一世紀前の学生たちも、今と同じようなことで悩んでいたんだね。

国立駅北口の坂もたまらん坂も、僕の実家に近くて、由来なんか気にせず普通に自転車で通っていた。というか、この原稿を書くまで、清志郎が国立ゆかりのミュージシャンだったなんてことも知らなかった。一橋大学、清志郎、そして実家がどんどんとつながってきて驚く。

参考文献

忌野清志郎『ロックで独立する方法』新潮文庫、二〇一九年。
黒井千次『たまらん坂』講談社文芸文庫、二〇〇八年。

6 本郷

プロローグ——本郷とは相性が悪い

本郷とはあんまり相性が良くない。出会いからそうだった。高校三年生の終わりに東京大学を受けて、合格発表が本郷キャンパスであった。昭和の最後あたりの当時は牧歌的で、ウェブ発表なんてなかったから、結果を知るには自分でわざわざ行かなければならなかったのだ。

丸ノ内線の本郷三丁目駅で降りたときは、とても正気ではなかった。目がグルグル回って、ものすごく空気の抵抗が強くなって、すっと前に進めなかった。それでもどうにか自分を鼓舞して、本郷キャンパスに向かって進んだ。

でもね、不思議なことに、いくら歩いてもキャンパスがないんですよ。もう少しもう少しと唱えながら、結局遠くまで来てしまった。あとでわかったんだけど、本郷三丁目の交差点で方向を九十度間違えて西に向かっていたんですよね。本当は北に行かなきゃいけなかったのに。つまりは精一杯がんばって目的地から遠ざかっていたわけ。うーん、人生。

入学後も、本郷とは長いこと縁がなかった。そもそも雰囲気が苦手だ。僕が脳内で思い描くベルリン（行ったことない）みたいで、赤レンガの教室や図書館は重厚そのもの。知的権威の象徴、みたいな感じがする。僕は当時すでに文学が好きで、ロックが好きで、だからそういうのは嫌だなー、できればぶち壊したいなー、それから、そういうのが好きな人たちも嫌いだなー、と思っていた。

その点、教養学部がある駒場キャンパスは良かった。当時の校舎はどれも古い病院みたいでガタガタだった。時計台だけが権威っぽかったけど、とにかくトイレが臭かったし。あとは、戦後のドサクサで勝手に住み着いた住人が、キャンパスの縁に家を建てている、というのもいい。だから、二年生が終わって専門に上がるときも、本郷の学部には行かなかった。駒場には教養の先生がやっている専門課程があるのだ。大学院も続けてそこに行った。

縁がないものと思っていた本郷キャンパスに通うようになったのは、せっかくアメリカ研究の大学院に入ってすぐ、指導教官の柴田元幸先生が本郷の英文科に移ると決まったからだ。あれー、柴田先生もそういうの好きなの、とか思ったりした。まあ、いろいろと大人の事情もあったんだろうけど。

初めて行った英文科の部屋で目に留まったのは二枚の写真だ。ほら、祖父母の田舎の家に行くと、先祖の写真が大きく飾ってあったりするじゃないですか。ああいう感じで、初代教授ラフカディオ・ハーンと二代目教授の夏目漱石の肖像写真がドーンと壁に掛かっていた。いやいや、もちろんハーンも漱石も最高峰の書き手だし大好きです。でもそのときは二人のことをちょっと嫌いになった。ハーンさん漱石さんごめんなさい。

でも、結局本郷の授業や勉強会に通ったのはものすごく勉強になった。はっきりと今の自分を作っていると言っていい。本郷三丁目で降りて、今度は迷わず真っ直ぐ歩いて行くとやがて赤門がある。そこを通って重厚な図書館の前を通ると、少し変な形の英文科のビルがあった。余談だけど、そのすぐ裏は三四郎池で、ものすごく暗い沼みたいな感じで、シャレで一度行ってみたんだけど、もうそれからは行ってない。

いちばん印象に残っているのは、柴田先生を中心に自主的にやっていた翻訳の勉強会だ。課題の文章が決まっていて、それをみんなで訳してくる。そしてどうやったらもっといい訳になるのか、解釈から訳語の選び方、句読点の位置まで細かく検討するのだ。真剣に考えてさえいれば、誰でもどんな意見でも言ってよい、というのが良かった。

そのときは気づいていなかったけど、そういう平等さこそ大学の良いところだと思う。実社会に出れば、男性だったり社会的地位が高かったりする人のほうが発言権は強い。つまり、どんなにつまらない、さえない意見を言っていたとしても、他の人たちを黙らせて長くしゃべることが許容される、ということだ。でもその読書会では、性別や実績にかかわらず発言権は平等で、良いアイディアはどんなものでも取り上げられた。

でも最後には圧倒的な実力で柴田先生の意見が通ることも多かった。本気で意見を出し合った結果だから、学生の側にも尊敬しかない。その読書会に出ていたのは、学生でもなんでもない岸本佐知子さん、今はいろいろ翻訳をしている畔柳和代さん、小山太一さんなどなどだ。みんなプロとして通用しているのは、互いに刺激を与え合い、さらに柴田先生に引っ張ってもらえたからだと思う。

やがて僕は早稲田で教えるようになった。そして柴田先生は英文科を辞めてしまい、現代文芸論というアナーキーな学科を自分で作って移籍した。やっぱりね。僕も頼まれて本郷キャンパスで、短い期間だけアメリカ文学を教えたんだけど、けっこう苦労した。古い教室の音響が悪くて、大きい部屋じゃないのに僕の声が学生にはなかなか聞こえないのだ。音を吸う教室設計ってなんだよ。あーあ、やっぱり本郷とは相性が悪い。

夏目漱石『三四郎』——漱石は僕のクラスメート

東大を舞台にした作品でいちばん有名なのは、夏目漱石の『三四郎』ではないか。熊本の高校を出た三四郎は上京して東大に入学する。そこで、いつも研究室にこもって難しい科学の実験ばかりしている野々宮先生、軽薄でいろいろとやらかすが、たまにいいことも言うクラスメートの与次郎、与次郎が慕っている広田先生という高校の教師などと出会う。大学の講義は退屈だし、本はなかなか読めないが、けっこう東京の学生生活を満喫する。演劇会あり、同人誌あり、美術展ありで退屈する暇もない。

なかでもひときわ三四郎の心を惹いたのは美禰子だ。登場する女性たちはみんな美人ばかりである。野々宮先生と妹のよし子、美禰子、三四郎と、四人でグループ交際みたいな雰囲気になる。美禰子にとっては、もう大学の先生をしている野々宮先生のほうが魅力的なんだろうな、なんて三四郎は思ったりして。そんなことを考えている時点でかなり惚れているんだけど。

じゃあ三四郎にとって美禰子のどこがいいのかと言えば、あんまり覚束ない。彼女とはそんなに深い話をするわけじゃないし。田舎の女性と違って発言や身のこなしが男に媚びていないと言って三四郎は驚く。要するに彼女は、きれいで、何を考えているのか理解できなくて、都会風だ、というばかりだ。

けれども、三四郎にはそれで十分なんだろう。なにしろ、彼女自身が何を考えているかより、自分が彼女に対して何を感じて、何を考えているのかのほうが三四郎にとってはよほど大事なのだから。だから結局、美禰子が他の人と結婚してしまっても、まあしょうがないか、なんて感じになる。そしてそのうち自分が出世して、魅力的な存在になったらまた別の人に出会うだろう、という話を友達とするのだ。

百年前と変わらない東大カルチャー

『三四郎』を読んで僕はびっくりした。書かれたのが一九〇八年だから、ほぼ一世紀以上前の作品なのに、僕が体験した一九九〇年代と東大カルチャーのあり方がまったく変わっていなかったからだ。東大カルチャーとは何か。まず、圧倒的に男性中心である。もっとも信頼できるのは、同じ階層に生まれて、同じ教育を受けたエリートの同年代男性だ。そこに先輩としての教師たちが登場する。教師ももちろん全員男で、彼らだけが深い相互理解と信頼関係を持てる相手となる。

したがって、エリート教育を受けられない人たちはそこには入れてもらえない。だが唯一例外がある。エリート男性の妹や親戚などの女性たちだ。彼女たちはエリートに準ずる存在として受け入れられる。しかしながら、議論の相手ではもちろんない。むしろ美的な鑑賞や恋愛妄想の対象だ。したがって、彼女たちが個人の意見を持ったり、ましてや自ら欲望を抱いたりすることはまったく望まれていない。

何より高い価値があるのは西洋文化だ。絵画や音楽なども含まれるが、とりわけ西洋の言語で書かれた学問や文学作品が大切である。その場合、難しければ難しいほどかっこい い。だからドイツ哲学や、習得の難しいギリシャ・ローマ語で書かれた古典が最高、ということになる。もっとも、実はきちんとした理解は必要ない。本当は誰もわかってないからね。ちょっとかじった程度でも十分おしゃれだ。むしろ、会話に難しい外国語をちりばめ、表紙がわかるように洋書を小脇に抱えて歩き、人が見ている場所で開く、などをすることが大事である。

ああ、書いていて恥ずかしくなってきた。でも本当だからしょうがない。もちろん反論もあるだろう。第二次大戦後は女子学生も増えたし、自ずからカルチャーも変わったのではないか。あるいは、今どき西洋一辺倒なんてあるわけないよ。甘い。いまだ男子校から圧倒的な人数が入学し、もっとも女子の割合が多い学部でも二十パーセント半ばしかない大学の雰囲気が、そんなに変わるわけないではないか。西洋文化にしたって、東大生が雪崩を打って韓流に夢中、なんて聞いたことないぞ。

三四郎はどうして失恋するのか

三四郎が美しいと思う相手は二種類だ。西洋人と若い女性たちである。まず西洋人だが、三四郎は汽車に乗っていて西洋人を四、五人見る。「こういう派手な奇麗な西洋人は珍しいばかりではない。頗《すこぶ》る上等に見える。三四郎は一生懸命に見惚《みと》れていた。これでは威張《いば》るのも尤《もっと》もだと思った」(21‐22ページ)。ここでは、見た目が美しい、思想が優れている、産業や軍事が盛んだ、だから威張っても仕方がない、という観念がない交ぜになっている。

これは今も十分に理解できる思考法だろう。雑誌を見てもテレビを見ても、白人の血が入った美人はたくさん出てくる。余談だが、こういうのはアフリカ文学を読んでいてもよくお目にかかる。ナイジェリアの作家アディーチェの作品では、どうしてアフリカでは白人との混血だとかわいいと言われるのに、アメリカでは隠すべきことなのか、と主人公が疑問に思うシーンがあった。ここを読んで、僕はアディーチェにものすごく感情移入してしまった。

本題に戻る。しかしながら、三四郎たちは西洋人を崇拝しているばかりではない。むしろこういう態度は西洋に屈従しているだけだ、という反発心ももちろんある。それが具体的に現れるのが、西洋人教授の代わりに広田先生を、という学生運動だろう。与次郎の仲間たちが盛んに唱えるこの流れに、いつしか三四郎も巻き込まれていく。

もう一つが女性に対する態度だ。三四郎にとって、女性たちは鑑賞の対象である。大学の運動会を見に来ていた彼女たちを見て思う。「その上遠距離だから顔がみんな美しい。その代り誰が目立って美しいという事もない。ただ総体が総体として美しい」（153ページ）。それでは、彼女たちを常に貴重なものとして三四郎は扱うのか。実はそうでもない。よし子と話していて反論できなくなると彼は急に取り乱す。「ただ腹の中で、これしきの女のいう事を、明瞭に批評し得ないのは、男児として腑甲斐《ふがい》ない事だと、いたく赤面した」（115ページ）。ここには、いやしくも大学生なら、若い女性の言うことはすべて簡単に論破できるはずだ、という思い込みがある。だから、それが事実として覆されると動揺してしまう。そしてよし子の強さを東京のせいにする。けれども熊本でだって、女性たちは嫌なものは嫌に決まっている。ただ優しさから、論破されたふりをしてくれていただけだ。

美禰子に対してはどうか。女は男に甘えた態度を取るものだ、という思い込みが三四郎にはある。だから一人でスッスッと歩いて行く美禰子に対して、どうしていいかわからない。「その時三四郎はこの女にはとても叶《かな》わないような気がどこかでした。同時に自分の腹を見抜かれたという自覚に伴う一種の屈辱をかすかに感じた」（129ページ）何を見抜かれたのか。自分の淡い恋心である。

でも三四郎はどうすることもできない。田舎だったらこうして二人で歩いていると噂になるだろうな、とか思いながら大した会話もできず、美禰子と肩が触れ合う距離で雨宿りする。彼女が画家のモデルをしている家を訪ねて、「ただ、あなたに会いたいから行ったのです」(247ページ)と三四郎が美禰子に言うシーンは切ないが、それでどうなるものでもない。そもそも、自分の思考や感情にばかり興味がある三四郎に、相互的な恋愛関係を作れるわけもない。

漱石は問いかけ続ける

西洋への崇拝と反発、女性への憧れと軽蔑。これが東大カルチャーの芯にあるものだとしたら、そこにはあまりにも多くのものが抜けている。もっとも中心にあるのは、自己肯定感の欠如だろう。自分たちがやっていることは文化も産業も政治もダメだ、という意識があるから、幻想の西洋を持ち上げたり落としたり、あるいはアジアやアフリカの人々を見下したりする。あるいは、人間としての自信がないからこそ、女性を上げたり下げたりしてしまう。

自己肯定できない者は、相手も認めることができない。彼らの頭のなかに存在している西洋人は、優れた学問や外見を持った、人間とは似て非なる人々である。言い換えれば、幻想のなかの存在でしかない。しかしながら、実際はみんな、日々の苦しみがあり、それぞれの欠点を抱えながら、毎日地味に地道に暮していているだけだ。どうして彼らの強さばかり見て、彼らの弱さから目をそらすのか。そして、自らの弱さも見詰めながら、弱さのなかでつながっていこうとしないのか。

女性に対する態度も同じだ。彼女たちを美しいものと崇めたかと思えば、知的に劣った存在として軽蔑もする。そこには、同じ人間として、彼女たちの弱さや悲しみ、それでも続けている努力に共感し、ともに生きるという感覚がみじんもない。三四郎たちにとって女性とは、たまにドキッとすることも口にする、美しい生きた人形でしかない。

ならばどうすればいいのか。自己の感覚に閉じこもり、周囲に勝手な幻想を投げつけ、劣等感や優越感のあまりちゃんと人と関われず、あるいは人を傷つける、という地獄からどう出ればよいのか。少なくとも、漱石の作品のなかにその答えはない、と僕は思う。だって、せっかくイギリスに行ってもほとんど人とかかわらず、下宿で勉強ばかりしていた人だからね。晩年に書かれた『道草』を読んでも、主人公の妻に対する態度に、三四郎からの大きな隔たりは感じられない。ただ妻は自分の思い通りにならない、という事実を突きつけられて暴れているだけだ。

もちろん小説を書くことは問題と向き合うことである。ただしそれがそのまま解決にはならない。むしろ、作品を通して問題のありかを明瞭かつ正確に示した、というのが漱石の偉大さなのだろう。東大カルチャーはそう簡単には終わらない。なぜならそれは、日本の近代の中心にある問題に深く根差しているからだ。谷崎潤一郎などとくらべると、漱石の小説はそんなにうまくないと思う。けれども、彼の作品は十年も二十年も読者の心に残る力を持っている。そして問いかけ続けてくる。お前もまた、そういう存在なのではないか、と。だからこそ漱石の作品は貴重なのだ。

参考文献

夏目漱石『三四郎』岩波文庫、一九九〇年。

森鷗外『青年』――鷗外と性の揺らぎ

続いて森鷗外の『青年』である。漱石の『三四郎』が一九〇八年に書かれて、それを踏まえて一九一〇年から一一年にかけて鷗外が書いたのがこの『青年』だが、作品の様子はだいぶ違う。『三四郎』では若い女性たちは見られる対象だったが、『青年』では見る主体である。誰を見るのか。主人公である美青年の純一だ。

純一は山口県(作中ではY県)から東京に出てきたばかりの青年である。学生かと思いきやそうではなく、だからと言って仕事をしているわけでもない。では何をしているのかと言えば、当時流行の自然主義文学にかぶれて、ぜひともそうした作家になりたいと考えている。だから、田山花袋と並んで最先端の存在である正宗白鳥(大石)に会いに行く。でもほとんど相手にはされないのだが。

それも当然で、純一が書いているものと言えば、断片的な日記ぐらいだ。で、残りの時間は本郷界隈を散歩したり、東大の医学生である木下杢太郎(大村)と文学談義をしたりする。そしてひたすらフランス語の本を読む。故郷にいたフランス人宣教師から学んだのだが、まあとにかく彼は恐ろしいほど読める。ラシーヌからユイスマンスまで、フランス語が母語のようにがんがん読んでいく。昔の書生はこんなに外国語が読めたのだろうか。

どうして彼がこんなふうにして暮らせるのか。実家が大金持ちで、働く必要がまったくないからだ。けれども、心中は焦っている。こんなことをしていて作家になれるのか。しかし作品を読んでいて読者の目に付くのは彼の精神的な苦悩ではない。彼の美貌に惹きつけられた複数の女たちとの、うっすら恋愛っぽい関係ばかりだ。

特に純一には恋愛をするつもりはない。そのうちしてみたいが今ではない、なんて本人は言っている。けれども女たちは彼を放ってはおかない。彼の下宿には大家さんの知り合いである、同年代のお雪さんが頻繁に遊びに来るようになり、劇場に行けば仮面のような美貌を持つ謎の未亡人、坂井夫人がやってきて、夫が集めていたフランス語の本を借りに家まで来なさいと言い、打ち上げに行けば流行の芸者おちゃらが、今度はあなた一人で来てねと迫る。

そのたびに彼は動揺し、思い通りにあやつられてたまるか、と反発し、でも自らの内なる性欲に揺さぶられる。ついに坂井夫人が逗留している箱根の温泉を訪ねれば、彼女と一緒に岡村という男が先客でいて、裏切られた、と純一は思う。でも彼は別に坂井夫人を愛しているわけでもない。そして新聞のゴシップ欄に、芸者のおちゃらはイケメン狂いと書かれているのを見て、まんざらでもない気持ちになる。

当時の文学青年のリアル

　なんというか、作品をいくら読んでいても純一がまったく小説家に向かって進んでいかないところがいい。たぶんこのまま小説は一作も書かず、お雪さんと結婚して、結局は有能な銀行の役員なんかになりそうな気がする。鷗外はこうして、明治の終わりの文学青年が実際にどういうふうだったのかをリアルに捉えているのだろう。

　『青年』では複数の境界が乗り越えられ、あるいは曖昧になる。そして境界の両側が混ざり合う。出てくる場所は東京近辺だけだが、常にここではない場所としての山口県が純一の意識のなかにはある。東京では街はどんどん変わっていくが、故郷では時間は昔と同じくゆったり流れている。彼にとって東京の言葉はフランス語同様、外国語だ。「田舎から出て来た純一は、小説で読み覚えた東京詞《ことば》を使うのである。丁度《ちょうど》不慣な外国語を使うように、一語一語考えて見て口に出すのである」(8ページ)。

　むしろ彼にとっては、宣教師としゃべり慣れたフランス語のほうがよほど自然な言葉だ。だから地の文もこうなる。坂井夫人は自分としゃべりながらも、その内容を一々打消しているように感じる。彼女は「ironiquement《イロニックマン》に打消して全く別様な話をしている。Une《ユヌ》 persuasion《ペルシュアジョン》 puissante《ピュイッサント》 et《エエ》 chaleureuse《シャリヨオリヨオズ》である」(１４７ページ)。これはものすごく異様な文章だ。「皮肉に打消して全く別様な話をしている。強く熱のこもった説得である」というのがその文意だが、生のフランス語がごろりと文に現れてくることに驚いて、内容などどうでもよくなってしまう。なんで鷗外はこんな書き方をしたのか。もちろん、フランス語を学習中の背伸びした読者にかっこいいと思わせる効果もあるだろう。しかしむしろ、純一はフランス語と明治の日本語が混ざったクレオール語で思考しているということを鷗外は示したかったのではないか。

二つの言語で考える主人公

ジュノ・ディアスやサンドラ・シスネロスなど、アメリカ合衆国の作家でラテン系の出自を持つ人々は、ここ三十年ほどのあいだ、英語にスペイン語が頻出する文体を練り上げてきた。ベストセラーとなったディアスの『オスカー・ワオの短く凄まじい人生』やシスネロス『マンゴー通り、ときどきさよなら』などはその頂点に位置する作品である。もちろんアメリカで無視されがちなラティーノの文化を示すためのスペイン語と、高級西洋文化を誇示する鷗外のフランス語は社会的な機能は違う。けれども、二言語で考えながら文学を生み出す、という点では共通している。

漱石の『三四郎』だって、英語で思考しながら書かれたものだとは思うが、彼は鷗外ほど外国語を強調しない。むしろ漢字を駆使して、なんとか日本語と折り合いを付けようとしている。だからこそ漱石の作品は国民文学になれたんだろう。そして鷗外は、そんなものとは関係の無い場所にいることがよくわかる。

さて、境界を越えるのは言語だけではない。女たちの視線もそうだ。漱石『三四郎』では男性は欲望のこもった視線を若い女性たちに向ける。けれども『青年』では違う。上京したばかりの純一の顔を普段着の女学生が「気に入った心持を隠さずに現したような見方で見て行」(14ページ)く。これは序の口で、劇場では女の粘つくような視線を背後に感じて純一は不快になる。

もっとも多く視線について語られるのが、鹿のような目をしたお雪さんだ。彼女の微笑みを見ていると、純一は見下されているように感じる。なぜか。故郷にいる若い女性たちとは違って、お雪さんは男性を見ることに躊躇がないからだ。そして彼女の視線に感情をコントロールされることに純一は反発を覚える。

ついに純一はこうした認識に達する。「お雪さんの遊びに来たことは、これまで何度だか知らないが、純一はいつもこの娘の顔を見るよりは、却ってこの娘に顔を見られていた。それがきょう始《はじめ》て向うの顔をつくづく見ているのである。／そして純一はこう云うことに気が附いた。お雪さんは自分を見られることを意識しているということに気が附いた」(136ページ)。いつも見る側であるお雪さんを今回純一は見てやった。けれどもそれは彼が思っているように、自分の意思で見ているのではない。純一に欲望を抱いているお雪さんの視線にコントロールされて、むしろ彼女を見させられているのだ。

ここで事態は、ヘンリー・ジェイムズ的な複雑さに到達する。『デイジー・ミラー』でもなんでも読んでみればいい。デイジーの言動は無邪気さゆえのものなのか。あるいは極度に計算されたものなのか。主人公の青年は思い悩み、デイジーの心のなかを見抜こうとし続ける。けれどももし、そんな主人公の心中をデイジーもまた見抜いているとしたら、デイジーは先回りしようとする主人公を常に先回りし、ついに到達点はあり得ない。私を見ているあなたを見ている私を……という合せ鏡が無間地獄を呼び込み、あとは果てしない苦悩があるだけだ。

『青年』に戻ろう。男らしく、見る者の立場を確保しようとすることで、逆に純一は自分を見失ってしまう。かくして彼の男らしさ自体が解体される。彼だけではない。純一の夢のなかでおちゃらと坂井夫人とお雪さんは融合し、彼に迫ってくる。ここでも境界線は失われる。あとは、コントロールされまいとすることでかえって女たちにコントロールされる純一の悔しさだけが残る。

揺らぐ境界線

さらに、男女の境界すら消える。作中の正宗白鳥（大石）は純一に見られて、自分の気持ちが晴れやかになるのを感じる。そして我知らず、純一に良いところを見せようとして、雑誌記者の質問に答えてしまう。友人の木下杢太郎（大村）はもっと露骨だ。彼こそが純一の美しさにもっとも惹かれている。今まで年上としか交わらなかったはずなのに、気づけば純一の下宿に入りびたりで、「純一の笑う顔を見る度《たび》に、なんと云う可哀《かわい》い目附きをする男だろうと、大村は思う」（203ページ）。そして自分は同性愛者ではないつもりだが、異性愛者にも実はそういった感情が隠れているものだなあ、と考えるのだ。しかも彼は自分のそうした感情を裁かない。

日本語が揺れ、男性性が揺らぎ、異性愛と同性愛の境界も揺らいでしまう。こう見て行くと、同じ明治時代の古典でも漱石の『三四郎』と鷗外の『青年』はまったく違うことがわかる。なんというか、漱石が男っぽいのに対して、鷗外はクィアっぽいのだ。僕にとってもっとも興味深いのは、両者の視点のあり方である。漱石は自分の弟子である寺田寅彦や小宮豊隆をモデルとして『三四郎』を書いた。だから自分に近い登場人物である広田先生はかなり立派な人で、学生にも慕われている。

だが鷗外は違う。『青年』に出てくる学生たちは鷗外とくらべながら漱石について「しかし教員を罷めただけでも、鷗村（鷗外）なんぞのように、役人をしているのにくらべて見ると、余程《よほど》芸術家らしいのかも知れないね」（48ページ）なんて言い放つ。そして純一は思うのだ。「鷗村の物では、アンデルセンの飜訳だけを見て、こんな詰まらない作を、よくも暇潰《ひまつぶ》しに訳したものだと思ったきり、この人に対して何の興味も持っていない」（48ページ）。純一よ、作者にそこまで言うか。こうした自己を客観的に把握できる力を持った鷗外は、やはり並大抵の人物ではない。

参考文献
森鷗外『青年』岩波文庫、二〇一七年。

大江健三郎「死者の奢り」——死者たちの声を聞く

東京大学を舞台とした作品で有名なのは、なんと言っても夏目漱石の『三四郎』と、大江健三郎の短編「死者の奢り」ではないか。『三四郎』は熊本から出てきた主人公が希望に満ちてキャンパスを闊歩する話だったが、その約半世紀後に書かれた「死者の奢り」はまるで違う。なにしろ主人公は医学部の地下に閉じこめられたまま、水槽に浮かぶ死体を延々と運び続けるのだから。

主人公である彼は東大の男子学生で、アルバイトの募集を見てやってきた。医学部の建物の地下にある巨大な水槽を充たした茶色っぽい液体のなかには、戦前から現在までの医療解剖用の死体が無数に浮かんでいる。彼の仕事は、それを新設の水槽にできるだけ早く移し替えることだ。英文学の授業で会った女子学生、そしてここに三十年も務め続けている管理人と、彼らはたった三人で協力して必死に作業を進める。

滑る死体をゴム手袋で摑んだり、木の札を付け替えたり、台車に乗せたりなど、作業は困難を極める。だがだいぶ作業が進んだところで、思わぬ事実が発覚する。実は古い水槽の死体はすべて火葬場へと運ぶはずだったのに、事務所が間違った指示を出していたのだ。

しかたなく、主人公たちは新しい水槽から死体を取り出し始める。けれどもすでにそのなかの液体は茶色く濁ってしまっていた。

「死者の奢り」に出てくるキャンパスは暗い。朝、銀杏並木の下を通って主人公は事務所まで歩いて行くが、夕方地下から出てくると、あたりは霧に包まれている。「夕暮れた空気の奥で、講堂の時計塔が霧に包まれ、城のようだった。図書館の煉瓦壁《れんがかべ》にも、半透明な霧の膜がからみつき、よく発達した黴《かび》に似ている」(44ページ)。なぜ黴のように見えるかと言えば、建物があまりに古びているからだ。

ここには『三四郎』に出てきた、輝く立派な建物を見上げるという感覚はない。むしろ、積み重なった時代の重さに主人公は押しつぶされそうだ。まるで八〇年代末の僕のように。主人公は医学部の地下に下っていき、そこで大量の死体が保存されている巨大な水槽と向い合う。大学生のころ僕はこの作品を読んで、そんなアルバイトがあるのか、と思ったが、実際には存在しないのではないか。なにしろ死体の管理が雑すぎるから。けれどもこれは無根拠な空想ではない。

死者の水槽と図書館

硬い物と化した死体たちはやがて主人公に低い、聞き取りにくい声で語りかけ始める。

たとえばこんなふうに。「そうとも、俺たちは《物》だ。しかも、かなり精巧にできた完全な《物》だ。死んですぐ火葬された男は《物》の量感、ずっしりした確かな感覚を知らないね」(19ページ)。最初は混じり合っていたその声を、徐々に主人公はきちんと聞き分けられるようになる。そして彼らと対話できるようにまでなるのだ。撃たれてしまった脱走兵、かつては胸を張り歩道を闊歩していた中年女性。死者たちに触れ、一体一体識別し、移動させるこの作業は、言わば彼らの声に耳のチューニングを合せる訓練になっている。

これは奇妙な作業に思える。だが人は誰も、死者に耳を傾けるとき、こうした態度を身につけざるを得ないのではないか。僕らは普段、死者のか細い声を求めて古い書物を開く。そこには、僕らが見知らぬ社会を生きた、見知らぬ言語を話す人々の声が硬直した物として閉じこめられている。文脈もわからぬままそうした声に身を浸していると、少しずつ僕らは死者たちの声を聞き取り、理解できるようになってくる。

ならばこの水槽は、ある種の図書館でもあるのだろう。『三四郎』で主人公は思う。「奥まで行って二階へ上《のぼ》って、それから三階へ上って、本郷より高い所で、生きたものを近付けずに、紙の臭《におい》を嗅《か》ぎながら、——読んで見たい」(46ページ)。この生きた者を近づけずに読む、という図書館の快楽を、半世紀後に「死者の奢り」の主人公はかなえる。ただし本郷より低い場所、隔離された地下室で。

そう考えてくると、村上春樹『世界の終りとハードボイルド・ワンダーランド』に出てくる夢読みの作業もまた「死者の奢り」の延長線上にあることがよくわかる。外界から隔離されたファンタジー世界で主人公は、光を見ることができないようにナイフで目を細工されたあと、獣の頭蓋骨に閉じこめられた物語をひたすら読み続ける。主人公がいなければ歴史は消滅してしまう。だが過去と語り合う彼は、現在との通路を見失う。

見えないものに寄り添う

話を戻そう。「死者の奢り」に出てくる水槽と通常の図書館とは、大きな違いがある。もちろん、そこに実際に死者の身体があるかどうかだ。本の場合、死者たちの言葉は紙に印刷された記号に変換されている。読み手が訓練を積むことでその記号からは声が立ち上がってくるものの、そこに文字通りの身体は存在しない。だが水槽では、死者たちは重さを持ち、硬直した腕で台車の進行を妨げ、手から滑って深く沈んでいく。

そうした、コントロールできない死者たちの自主性に体をなじませていくうちに、主人公の服に、死者たちの臭いが染み込んでくる。だからこそ、地下に降りてきた医学部の学生は主人公を蔑みの目で見るし、教授はこう言うのだ。「君たちの世代には誇りの感情がないのか？」(39ページ)。そのとき、教授は主人公を、社会から隠すべき卑しい存在とみなしている。教授にとって主人公も管理人も無数の死体も、ただのけがれでしかない。

三四郎にとって、あるいは森鷗外『青年』の主人公にとって、書物を読むこととは、文化レベルを向上させ、階級を上昇していくという、上向きの運動を意味していた。彼らは輝く西洋文化に憧れ、アルファベットという神秘の文字を読み、その魅力を自分の身にまとおうとしていたのだ。けれども「死者の奢り」の主人公にとって読むこととは、無名のままで死んだ女性や、脱走し汚辱にまみれて殺された兵士の声を聞くことを意味している。すなわちそれは、限りない下降の運動なのだ。

一九五七年に「死者の奢り」が書かれた当時、すでに戦争は十年以上前に終わった過去に属していた。そんなものみんな忘れて、明るい未来に向かって行こうとしていたのだ。そこに、過去の思いや苦しみを抱えた死者たちが、硬直し茶色になっているとは言え、身体を具えて現れてもらっては困る。そうした圧力を、デビュー当時の大江健三郎は感じていたのではないか。だからこそ彼はキャリアの最初の時期に、死者の側に立つ作品を書いたのだろう。見えなくていいことになっている人々に寄り添うという文学者としての彼の姿勢は、僕にはとても優れたものに思える。

東大の女性の変化

「死者の奢り」の新しさはそれだけではない。女性が主人公と対等な存在として登場するのだ。『三四郎』では女性たちは美的な鑑賞の対象だった。そして『青年』では反対に主人公を眺め、あやつろうとする。だが「死者の奢り」は違う。ともに死体運びのアルバイトをする女子学生と主人公は、英文学の授業で会ったことがある。同じ試験を受けて入学している以上、彼女と主人公は、知的レベルは同じだ。だから二人は同じ立場で議論をする。

ならば彼らは理解し合えるかと言えば、そんなことはまったくない。女子学生がこのアルバイトをしているのは、誤って妊娠してしまい、中絶の費用を自分で稼ごうとしているからだ。自分の人生にも確信が持てないのに、子供の人生を引き受けることなんてとてもできない、と彼女は語る。ならば中絶に納得しているのかといえばそうでもない。お腹の子供はこの世界で果たすべき役割があるはずだ。それを今、自分の意思で消し去るほどの確信もまた彼女にはない。

そこで主人公は不用意にこう言う。

「君は彼を生むつもりがないんだろう?」

「ないわ」

「それなら、簡単だ」(34ページ)

もちろん人生に簡単なことなんて存在しない。だから女子学生は怒る。「それが殺されたり、育ちつづけたりするのは、私の下腹部の中でなのよ。私は今も、それにしつこく吸わぶられているのよ。傷みたいにそれの痕《あと》が残るのは私によ」(34ページ)。今は生むべきではない、ということは彼女も理屈ではわかっている。けれどもそうした意識的な判断に身体が抵抗する。聞き取るのが難しい、かすかな、けれども確かな声で身体は理性に逆らうのだ。

胎児と死者は似ている、と彼女は言う。「両方とも人間にちがいないけど、意識と肉体との混合ではないでしょ? 人間ではあるけれど、肉と骨の結びつきにすぎない」(42ページ)。しかしそうでないことは彼女もよくわかっている。もし胎児が精神のないただの肉ならば、そもそも彼女は苦しむことはないだろう。だが、死者たちが命を失ったあとも語りかけてくるように、胎児もまた、完全な人間として生きている。ただ生のあり方が通常の人々とは異なっているだけだ。ここで、精神と身体という二分法は否定され、女子学生もまた、子供を産むことを唐突に決意する。だがその瞬間、彼女は死体から床に流れた液体に足を滑らせて転び、強く体を打ち付けてしまう。

死者たちに一貫した尊敬の念を抱いているのはここの管理人だ。彼は死体の腕を曲げて運搬しやすくしてやり、乱暴に死体をトラックに乗せる雑役夫たちに「大切にあつかってくれ」(55ページ)と懇願する。ここを読んで僕は、J・M・クッツェーの『恥辱』を思い出した。主人公は女子学生を相手にセクハラ事件を起こし大学を追われる。辿り着いた動物クリニックで彼は、安楽死させられた犬たちを丁寧に焼却炉まで運び葬るという仕事に就く。「おれほど利己的な男がすすんで死んだ犬にお仕えしようとは、おかしなものだ」(225ページ)。

死んだ犬にこれ以上の苦痛を与えないこと。そのとき、動物と人間、死と生の境界は乗り越えられている。そして彼は、犬に自分を与えることで、反対に大きな何かを与えられているのだ。「死者の奢り」もまた、死と生について語りながら、こうした境地を指し示しているように思える。

参考文献
大江健三郎『死者の奢り・飼育』新潮文庫、二〇一三年。
J・M・クッツェー『恥辱』鴻巣友季子訳、ハヤカワepi文庫、二〇〇七年。

7 早稲田

プロローグ——長いスロープ

坪内逍遙『当世書生気質』——日本超近代文学の起源

村上春樹『ノルウェイの森』——身体の哲学

保坂和志「この人の閾」——厚みのある時間

プロローグ――長いスロープ

早稲田大学の教員になって驚いた。東京大学とは何もかも違う。まるで、大学という名前だけが共通で、あとは言葉も、価値観も、習慣も違う別の国のようだった。

就職からそうだった。大学教員用の就活サイトを見ていたら早稲田の募集が出ていて、ダメ元で応募してみることにした。しばらくして面接に来いと言われたのだが、予想とはだいぶ違った。

専門であるアメリカ文学の話もしたのだが、だんだんと話の内容は世間話になる。「都甲さん、野見山暁治のエッセイは読んだことある?」なんて訊かれる。有名な画家で、僕の好きな作家、田中小実昌の義理の兄でもある彼のエッセイ集『四百字のデッサン』は読んでいたから、はい、あれいいですよね、なんて元気に答えた。

すると「お酒は行ける口?」と来た。今は禁酒しているけど、当時はよく飲んでいたから、けっこう飲みます、と言うと、みんなして大きく頷く。そして最後に、学生に伝えたいことを一言で言うと? と訊かれた。

で僕が「文学は人生をかけるに足る、ですかね」と答えると、一同「おーっ!」と呻き、

「なんか、早稲田っぽいね」と言ってもらえたのである。早稲田っぽいというのがどういうことか、そのときは今一つわからなかったけど、なんだか嬉しかった。

さて、教員になると教授会に出る。どんな話が出るかと出席してみて驚いた。たとえばこんな話が報告されていたのだ。文学部のキャンパスには、入口から校舎まで続く長いスロープがある。で、手すりみたいな形で低い壁があり、その向こうは最大一階分の高さの崖になっている。

よせばいいのに、学生たちはよくそこに座ってしゃべっている。なかには、幅二十センチくらいの上で寝ているやつもいる。そのうちの一人が、寝返りついでに下に落ちたらしい。「しかしながら、深く熟睡していて、体の力が完全に抜けていたため、怪我一つしませんでした」と教務の先生が真顔で報告する。みんなも「良かったね〜」なんて言う。

いや、体の力が完全に抜けていたとか、そういうことじゃないだろう。僕は心のなかで突っ込んだ。だが同時に、すごく良い学校だなー、と思った。学生も教員もこんなにたくさんいるのに、一つのサークルみたいで、教員も本気で学生のことを心配し、心配しすぎて、かえっておかしなことになっている。他大学出身なのに、こんな仲間の一人に加えてもらえて良かった。

東京大学では見たこともない多様な学生がいるのも驚いた。学生時代にはいろんなやつがいるなあ、と思い込んでいたけれど、早稲田にくらべたら全然そんなことない。やっぱり、一定の階層出身で、一定の試験を受け、一定の成績を取った男女の集団だ。それはそれで粒ぞろいの魅力はあるが、そうでない人はいられない。

早稲田は違った。下駄を履き、着物を着て、頭に長い菜箸をさしている女子、いつもロリータ服の学生、異常に色っぽいモデルの男の子など、今まで生きてきて見たこともないような人がちらほらいる。面白いから、何がどうなってそういう人生になったのか本人に訊いてみたりした。すると、各自それなりに理由があり、しかも全員が自分のことを普通だと思っているとわかった。

学生の選考方法も多様だ。学力試験で入ってきた者、推薦入学の人、付属校から上がってきた学生など、各人がてんでバラバラだ。なかには、けん玉日本一になったから入れた、と言っている学生もいた。何かで日本一になれば、けっこう入学できるものらしい。

僕の方は東大時代の偏見で、そういう学生は学力に問題があるのでは、と最初は思った。これは大間違いだった。確かに最初は学力が低めの学生もいる。けれどもけん玉日本一の学生なんか、持ち前の根性を生かしてぐんぐん成績を上げ、一年生の終わりには他のやつより優秀になってしまった。

早稲田で教えているうちに、自分のなかの固定観念がどんどん崩れていった。十八歳のときの偏差値が高かったことを過大評価して、あたかも自分が優れた人間であるかのように思い込む、東大的な偏見が大いに揺さぶられたのだ。

早稲田の文学部は、たとえてみれば、絵を描かない美大だ。文学が好き、アートが好き、音楽が好き、といった若者が、日本中から何かを求めて集まってくる。そのなかには、将来の村上春樹や多和田葉子のような、天才としか思えない、巨大な才能を持った者もいる。

ここでの教師の仕事は、彼らの成長を邪魔しないようにしながら、自分の持っている経験や知識を利用してもらい、君がやっていることは素晴らしい、とひたすら声に出して褒めることでしかない。そして、青春という心がグラつく時期を、できるだけつつがなく通り過ぎてもらうことでしかない。

もちろん彼らの感性や柔らかな気持ちから、僕は多くを学んできた。今の自分があるのは、彼らと膨大な時間を過ごし、ともに笑い、ともに涙を流してきたからだ。僕は教師になることで、彼らの学生になった。

坪内逍遥『当世書生気質』――日本超近代文学の起源

今はそんなことないが、僕が就職した当時、早稲田の先生はほとんど早稲田出身だった。英文学コースも例外ではない。ネイティヴの先生とあと二人以外は全員そうだったんじゃないか。

まあ、そりゃそうだよね。伝統的には、大学の先生は自分の弟子のなかから、いちばんできのいい学生を後継者に選ぶ。すでに人格も学力もわかっているから、本来これがもっとも的確な選考方法なはずだ。でもなかなか理想通りにはいかない。

人には好き嫌いのバイアスがある。しかも、自分に似た価値観を持つ人物は、どうしても優れているように思えてしまう。自分と違う考え方の優秀な人と、似た考え方の少々劣った人とでは、劣った方が上に感じる。しかも自分の偏りにはまったく気づかない。

これは悪いことばかりじゃない。先生が一生懸命弟子を育てるのは、客観的に弟子が優れているからではなくて、自分を慕い一生懸命学ぶ学生をかわいく思うからだ。つまり親と一緒である。「お前は大した子じゃないから、代わりに今日から隣の子を息子にしまーす」と言う親がいないのと同じだ。

というわけで、誠実に学生を育て、そのなかからもっとも優秀と思える者を公平に後継者とし続けると、何世代か経るうちに確実に教員の質が劣化する。これは人類の普遍的真理と言っていい。

会社など多くの組織が活力を失うのも、おそらくこの真理のせいだろう。というわけで、この真理を避けるには、後継者を採ることを止めてしまえばいい。こうして早稲田は僕が入るちょっと前から、厳密な公募に変わった。

先輩・坪内逍遙

さて、就職してみて僕は先輩にこう言われた。東京大学の出身者で早稲田の英文学コースの教員になったのは君が二人目だ。一人目は、英文学コース創始者の坪内逍遙先生だった。坪内先生の学生時代は、残念ながら早稲田が存在しなかったので、先生は早稲田に通えなかった。

うーん。ものすごい早稲田中心主義。ここまで行くと逆に面白い。こう言われてがぜん坪内逍遙に興味が出てきた。僕のなかで、彼が幻想の先輩としての位置を得始めたのだ。

坪内逍遙とはどういう人か。一八五九年岐阜県に生まれ、名古屋で歌舞伎を見物し、戯作を耽読して育つ。東京大学で西洋文学と出会い、次いで早稲田の講師となり、早稲田の文科を作る。『小説神髄』で近代小説とは何かを論じ、その実作として『当世書生気質』を書く。その後はシェイクスピアの全訳や歌舞伎改良を通じて、主に日本演劇の近代化に尽くす。

というのが学校で習う、いわゆる文学史のなかの逍遥である。そして文学史のなかで、『当世書生気質』の評判はすこぶる悪い。中村光夫『日本の近代小説』を見てみよう。彼は言う。近代小説の概念を『小説神髄』で日本に紹介した逍遥の業績は非常に大きい。だが『当世書生気質』ははっきり言って駄作である。

文体がほとんど戯作のそれを脱けでなかった点、筋立がむかしながらの捨子とりかえ子や兄妹再会を踏襲している点などで、やはり「旧文学」の匂いを強くとどめた作品であり、作者のいう「人情」も通り一遍に描かれているだけであり、作中人物の性格なども「奇癖と平凡とのみを合併」したものにすぎず、人間としての幅も厚味も持たなかった。（中村光夫『日本の近代小説』41－42ページ）

まあ、これでもかというくらい批判している。これじゃあ誰も読む気をなくしてしまう。実際、僕も『当世書生気質』読んだよ、面白かったよ、と言っている人を見たことがない。というわけで、『当世書生気質』を読んでみた。そしてものすごくびっくりした。すさまじい傑作なのだ。文章は勢いがあり、笑いやアイディアに満ちている。英語と戯作の言葉が混じった文体は斬新で、展開も読者を飽きさせない。面倒くさくなると、語り手が勝手に説明をはしょったりするところもいい。本当に、中村光夫はどこ見てんだよー、という感じである。

おそらくここには深い理由があるのだろう。日本近代文学は、西洋の影響がありながらも日本のなかで独自の発展を遂げた。しかもシリアスな内面描写の能力を深めてきた。これが文学史の公式見解である。

そこには、日本語、中国語、英語などが混ざってぶつかり合うハイブリッドな文学観は存在しない。しかも何より、笑いの意義が無視されている。深い内面を追及するあまり、極端に真面目化した日本近代文学は、何より笑いを忘れてきた。しかしながらバフチンも言う通り、笑いこそが文学の根本的機能である。

バフチンは『小説の言葉』で論じている。奴隷や外国人など、様々な人の口まねをし、パロディ化し、シリアスとおふざけのあいだを揺れるのが本来小説の力である。こうした作業によって、我々は自由に思考できる空間を獲得し、自分と違う人々を受け入れる寛容さを身につけるのだ。

そして異なった言葉同士の対話と笑いが小説の二大要素ならば、『当世書生気質』こそがその先駆的作品なのではないか。そしてまた、この作品こそが、その後の日本近代文学では追及されなかった、別の可能性を秘めた作品だと言えるのではないか。

日本近代文学が終わりつつある今、その起源のなかに、未来の日本文学を見てもいいだろう。あるいは近代を江戸まで拡張することで、今までのものとはまったく違う文学史を構想することができるはずだ。

外国語だらけの小説

『当世書生気質』とはどんな話なのか。王子のあたりに、飛鳥山公園という花見の名所がある。小町田粲爾という書生がここで偶然、田の次という芸者と再会する。実は上野の戦争のどさくさで孤児となった田の次は拾われ、小町田家で粲爾と兄弟同様に育てられた仲だった。しかしながら、小町田家の苦境を救うべく、彼女は芸者となったのだ。

久しぶりに田の次と会った粲爾は、美しくなった彼女に恋してしまう。そして彼女に会いたい一心で芸者遊びを始める。当然ながら学業が手につかなくなり、学校にもバレて休学となる。実は田の次は、粲爾の親友である守山の妹だった。守山の羽織の家紋から謎が解け、一族は再会してめでたしめでたしとなる。

というわけで、つまり話自体はわりとどうでもいい。偶然の出会いや若者の芸者への恋などの仕掛けがことごとくありきたりなのは、もちろん逍遙自身にもわかっている。そのなかで新鮮なのは、書生たちの風俗描写、なかでも彼らの使う言葉の新鮮さだ。
『当世書生気質』は、作品を書いていく上での宣言的な文章が入っている。「社会とかたくるしくいふときには、どうやら政治くさくきこゆれども、浮世とやはらげていひかふれば、おのづと色気づきて聞ゆるぞかし」(197ページ)。ここには逍遙の翻訳思想が現われている。

Societyという単語を社会と訳したのでは論文や政治演説になってしまう。だが小説はそうしたものではない。浮世という、日本の伝統に即した歴史ある単語に表現に訳してこそ、人間くさい感情も入れることができるのだ。

というわけで、本作は翻訳を巡って綴られることになる。予想通り、文中には大量の外国語が出てくる。「放蕩《ほうとう》卒業の証書《サーチフヒケイト》と、マスタア色男の爵位を以て、学者の尊号に交換するたア、感々服々土瓶《かんかんふくふくどびん》の煮音《にえおと》、蒸気の沙汰とはいはれない」(146ページ)。「幸甚《サンクス》」(39ページ)、「詢佳《ライト》」(71ページ)なんていう表現も、古いものと新しいものがぶつかっていてなんだか可笑しい。

もちろん英語だけではない。「おふくろ《ムッテル》」(85ページ)。ここはドイツ語だ。そしてフランス語。「いつも相替《あいかわ》らず一銭無《ヌウ・パア》しサ」(95ページ)。どうやら通っている学科によって、使う外国語も違うらしい。

日本語を英語に訳すだけではなく、日本語の音だけ取って別の単語に置き換え、そこから英語に訳しているものもある。だから質屋《しち》は同じ音の七《しち》になり、そのまま「セブン」と訳される。あるいは吉原は直訳で「グウド・プレイン」と呼ばれている。「実に恐るベシユビヤスの噴火山だ」(86ページ)なんていう、言語の壁を越えたダジャレもある。

文中には註も出てくる。「実に日本人のアンパンクチュアル(時間を違へる事をいふ)なのには恐れるヨ」(38ページ)なんてものすごい。この方向が極まると、文中に英語と日本語訳がそのまま出てきてしまう。「梓弓《あずさゆみ》春としなければ、若人の心は恋に浮かるるとかや。“In the spring, a young man's fancy lightly turns to thoughts of love.”」(72ページ)。そして登場人物の名前まで英語になる。「君にゃア浅からざる関係があるから、Mr.Moriyama《もりやまくん》と一所に君へ知らせに来たんだ」(284ページ)。

音の重視は外国語だけではない。目の悪い学生が、人違いで無実の友人を殴るシーンはこうだ。

須「ア、イタタタタ。」ポカポカポカポカポカ。須「アイタタタタ。僕ぢゃア引。」桐「うぬうぬ。」ポカポカポカ。須「アイタタ。僕。」桐「うぬ。」ポカ。須「我輩ぢゃア引。」桐「うぬ。」ポカ。須「アイタタ。」ポカ。須「我《わが》」ポカ。須「アイタタタタ。」ポカポカポカポカ。(157ページ)。

「引」という表現は音引き(ー)のことである。人をなぐる音だけがずっと続くのがアホっぽくて面白い。

異様な文章のワケ

というわけで今となっては異様な逍遙の文章をただ面白がって読んでいたのだが、ここには音の重視があるということに途中で気づいた。なぜ逍遙の文章に音や言語の混合、ずれなどが大量に含まれるのか。答えは単純で、この時代の大学生は外国人に外国語で学問を習っていたからだろう。

常に外国語で聞き、話し、書くという暮らしをしていれば、自然と二言語が混ざってくる。まさにハワイの日系人と同じである。言語の壁を越えたシャレもこうした環境で生まれてきたものだ。

しかしながらこのあと、大学教師は日本人に置き換えられ、外国語は読み書くだけのものとなった。そして外国語受容から音が消えていったのである。日本語の単一言語使用に、ちょっとした外国語の知識が加わる、というのが普通になったのだ。

日本近代文学はこうして、単一言語使用の方向に進んでいった。だからこそ、起源に複数言語使用があったことの証拠である逍遙の作品は抑圧されることになったのではないか。

しかしそれは『当世書生気質』にとって栄光とも言えるだろう。むしろ、日本超近代文学の起源として、もう一度この作品を読み直してみてはどうだろうか。

参考文献

坪内逍遙『当世書生気質』岩波文庫、２００６年。
中村光夫『日本の近代小説』岩波新書、１９５４年。

村上春樹『ノルウェイの森』——身体の哲学

就職して数年経ち、ようやく大学院ゼミを持てるようになった。なぜかそのころは男子が多く、年齢がいちばん上の学生とは十歳も離れていなかったので、友達同士みたいな感じでわいわいやっていた。

週一度のゼミは楽しかった。ああでもないこうでもないとしゃべりまくって、終わるとみんなで夕食に行く。そこでビールなんかも飲んじゃって、くだらないことを言いまくり、よく笑った。

そんなふうだから、夏や冬の休み中も勝手にゼミをやり続けた。そのときは「休み中にサボらさせない」なんて言って、学生のためだと思っていたし、他の先生からは「よくがんばるね、偉い」とか言われていたけど、今考えれば、自分のためだったのではないか。

当時はアパートに一人暮らしで、一人で食事をするのが淋しくて、気づけば朝出かけてはキャンパス近くで食事し、昼を学食で食べて、そのまま夜まで学校にいたりした。つまり学校に住んでいるようなものだ。

そのころ、家には網戸もなくて、たまに蟬が飛び込んできた。で、本棚もろくになくて、本を床に積んでいたのだが、季節が変わると本の後ろで蟬が死んでいた。自宅ながら、そういう家にはあまり帰りたくない。

当時よく行っていたのが、高田馬場にあった「ベトナム料理の店　カンボジア」だった。どうしてカンボジア料理じゃないのかはよくわからない。そこらへんは事情があったのだと思うけど、結局、最後まで訊かなかった。

『ノルウェイの森』の舞台に迷い込む

さて、確か夏休み中のことだ。ゼミが一段落して昼ごろ、校舎から中庭に出ると、キャンパスの様子が様変わりしている。ズラリと立て看板が並び、ヘルメットを被ってタオルで顔を隠したデモ隊がいるのだ。

当時はもう学生運動なんてほとんどなかったから驚いた。これじゃあ、まるで六〇年代末だ。周囲を見回して理由がわかった。撮影クルーがいたのだ。なるほど。何かの映画かテレビか。

あとになって、自分が映画『ノルウェイの森』の撮影現場の真ん中に躍り出ていたことがわかった。映画を見てみたけど、僕は映っていなかった。当たり前か。その代わり、今はもうなくなってしまった文学部の校舎がたくさん映っていた。

早稲田出身の有名な建築家、村野藤吾が作った建物は、一九六二年にできたモダニズム建築らしい。できた当時は最新のデザインだったんだろうけど、映画のなかでは、六〇年代を思い起こさせるノスタルジックな建物になっていた。

映画を見ながら、僕は就職当時の気持ちを思いだした。自分にとって、『ノルウェイの森』の主演は松山ケンイチではなくて、文学部の校舎そのものだった。この映画が撮影された直後、二〇一一年には僕の研究室があった三十三号館は耐震性が低い、という理由で壊されてしまう。

もっとも高い研究塔が半分まで壊された時点で東日本大震災が来た。僕の研究室は書棚の本が全部落ちて、床から一メートル以上の厚さで埋まってしまった。久しぶりに大学に行くと、まるで校舎が地震で崩壊したように見えた。

今はもう、僕は学校には住んでいない。毎週打ち上げもやらないし、お酒さえ飲まない。でも『ノルウェイの森』を見ていると、あのころを思いだす。ベトナム出身の監督、トラン・アン・ユンにはお礼を言わなくちゃな。

久しぶりに『ノルウェイの森』の小説のほうも読んでみた。緑と赤の装幀は、発売直後に高校生の僕が書店で見たときと同じだ。もっとも、文庫本だからずいぶん小さくなっているんだけど。

高校時代、神戸に住んでいたワタナベにはキズキという親友がいる。キズキは直子と付き合っていた。あるとき、一人で実家にいるときキズキは自動車の排ガスを吸って自殺してしまう。

しばらくしてワタナベはたぶん早稲田の文学部に入り、そして直子は津田塾らしき大学に入った。二人とも、故郷から遠く離れて、それまでの知り合いが一人もいない学校で新しい人生を始めたいと思ったのだ。

だが二人は偶然東京で再会する。そして毎週会い、やたらと長距離を歩くというデートのようなものを重ねる。だが直子の誕生日に二人が深い関係になったあと、直子は姿を消してしまう。実は京都の療養所に入ったのだ。ワタナベは深い山のなかにあるそこを二度訪れ、直子にたくさんの手紙を書く。だが直子の精神状態は悪化し、結局、彼女は死を選んでしまう。

実は直子がいなくなったあと、ワタナベはミドリという女の子と出会っていた。徐々に愛し合うようになったものの、いつまでも待っている、と直子に約束してしまった彼は、あと一歩のところを踏み切れない。どちらにも優しく振る舞うことで、優柔不断な彼は二人を傷つける。直子の死後、ようやくワタナベはミドリと生きることを決意する。

どんな人生にも死はある。友人が死に、愛するものが死ぬ。やがては自分も死んでしまう。それでも僕らは生きていかなければならない。ならば、どうすれば悲しみに押しつぶされずに生き延びられるのか、というのがこの作品のテーマのように思える。

人生を生きるための確実な方法

『ノルウェイの森』では三つのものが批判される。大学のアカデミズム、右翼や左翼といった政治思想、そして精神医療だ。まず大学だが、演劇を専攻したワタナベは、大学の授業が恐ろしくつまらないことに気づく。たとえばエウリピデスの演劇における神の役割だ。彼の作品ではすべてが紛糾したあと、神が出てきて全部を整理してくれる。確かに面白いが、だからなんだ?

そしてワタナベはこう思う。「九月の第二週に、僕は大学教育というのはまったく無意味だという結論に到達した。そして僕はそれを退屈さに耐える訓練期間として捉えることに決めた」(上巻102ページ)。おそらく、彼にとって会社などすべての組織はこうしたものに思えているのだろう。

次に政治思想だ。目白の和敬塾がモデルになっている寮にワタナベは住んでいる。右翼的思想に支えられたこの場所では、毎朝国旗が掲揚され、そして夕方に下ろされる。するとワタナベは考える。「どうして夜のあいだ国旗が降ろされてしまうのか、僕にはその理由がわからなかった。夜のあいだだってちゃんと国家は存続しているし、働いている人だって沢山いる」(上巻29ページ)。

ここでの夜は、社会のなかで光が当たらない場所の比喩だろう。そうしたところでも人は生き、もがき、苦しんでいる。立派で勇ましい右翼思想はこうした弱い人々の存在を無視しているのではないか。

そしてワタナベは左翼も批判する。学生運動が盛んだったこの時代、運動家たちは我が物顔でキャンパスを闊歩し、授業を中断し、教授たちや大学当局を糾弾していた。けれども、彼らのビラを見てワタナベは言う。「説は立派だったし、内容にとくに異論はなかったが、文章に説得力がなかった。信頼性もなければ、人の心を駆りたてる力もなかった」（上巻121ページ）。

どうして正しい内容の文章が人の心に訴えかけられないのか。語っている者の生き方に嘘があるからだ。まだストライキの中止は宣言されていないのに、いったん授業が再開されると、活動家たちはせっせと授業に通い、点呼にもちゃんと返事をして単位を取ろうとする。こうした彼らの欺瞞的な姿勢に反発してワタナベが教授の点呼に応えないでいると、教室の雰囲気ははりつめる。

さて、直子が入った療養所には、ある哲学がある。直子と同部屋に暮らしているレイコさんはそれを説明してくれる。「まず第一に相手を助けたいと思うこと。そして自分も誰かに助けてもらわなくてはならないのだと思うこと。第二に正直になること。嘘をついたり、物事をとり繕ったり、都合のわるいことを胡麻化したりしないこと」（上巻201ページ）。

人は対等であり、助けや癒やしも相互的である。そうした関係を保つには、誰もが正直でなければならない。確かに、こういった状況のなかで回復していった人々もいるのだろう。

だがワタナベはこの場所に奇妙なものを感じる。食堂では誰もが同じ音量で話しているし、テニスの試合はまるで、ボールの弾力を研究しているかのようだ。全員が親切で正直なはずのここには生気がない。こんな場所で生き続けることができても、それは真に生きていると言えるのか。

結局のところ、この人工的な天国のなかで直子は病状を悪化させ、死を迎えてしまう。回復した者がいたとき、思い返せばそこには対等で正直な関係があった、というのは真実だろう。だが逆に、対等で正直な関係があれば必ず回復が起こる、と考えてしまえば嘘が発生する。人生を生きるための確実な方法などあり得ないからだ。

体を動かせ。歌え。

それではワタナベは何を信じるのか。ミドリの日常哲学である。死につつある家族を看病してきた彼女は言う。「口でなんてなんとでも言えるのよ。大事なのはウンコをかたづけるかかたづけないかなのよ」(下巻83ページ)。ウンコという即物的な言葉には、彼女の経験の重みが感じられる。言い換えればそこには、ちゃんと身体が存在するのだ。

そう言えば、肉体労働のバイトをしていたころ、ワタナベは不思議な充実感を感じていた。「仕事は思っていたよりきつく、最初のうちは体が痛くて朝起きあがれないほどだったが、給料はそのぶん良かったし、忙しく体を動かしているあいだは自分の中の空洞を意識せずに済んだ」(上巻89ページ)。

ミドリは丁寧に料理を作り、手の込んだ関西風の和食でワタナベをもてなす。そしてギターを弾き、自作のひどい曲を歌い上げる。料理も音楽も身体に直接働きかけ、喜びを与えてくれる。

考え込むな、ただ思考の淵に落ちていくだけでどこにもいけないぞ。むしろ体を動かせ。歌え。大いに食え。そして身体を軽蔑する者を憎め。こんなふうにして『ノルウェイの森』を読むと、村上春樹の考え方が、初期から今まで驚くほど一貫していることがわかる。

参考文献

村上春樹『ノルウェイの森』講談社文庫、2004年。

保坂和志「この人の閾」——厚みのある時間

大学の先生になると、わりと予想外のことが起こる。その一つが、学生がその後、自分の仕事仲間になる、という展開だ。というと同じ教師になる、という感じがするが、そうではない。その多くが編集者になって、僕に仕事を発注してくるのだ。

これはかなり不思議である。それまで、君はこうしたほうがいい、などと偉そうに指導していた相手が、ほんの数年後には原稿の発注元となって、ということはつまり、僕にとってはマイルドな上司となって現われるのである。

そして、都甲先生は自分ではこういうところが強みだと思っているが、実は別のこんな魅力がある。だから挑戦してみましょう、なんて言うのだ。いや、おっしゃることはわかるんだけどね。で実際にやってみると、その指摘が百パーセント的確だったとわかる。ははは。

たとえば、この本の担当者である切刀君なんかがそうだ。もともとアイルランド文学専攻なのに、学部時代も修士のころも、なぜか僕のアメリカ文学の授業で延々としゃべっている。しかもへらへら笑っていて、おまけに短めのズボンの裾から、常にくるぶしが見えている。

僕が通っていた大学には、ヌケ感のあるパンツをはいているやつなんて一人もいなかった。したがって、スニーカーからちょうど見えないぐらいの長さの靴下が存在することも知らなかった。チャラいな、と思ったけど、もちろんちゃんと作品は読めている。しかもこっちが思いつかないアイディアを出してくる。悔しい。でも面白い。

あとでわかったんだけど、彼は高校時代にはもう、プルースト『失われた時を求めて』もユーゴー『レ・ミゼラブル』も全巻読破しているスーパー学生だった。おまけにギターもプロ並みの腕で、実際、一時はプロデビューを目指して、すごい先生のところで修行していたらしい。

正直言って、こういう人は東大にはいない。なぜなら青春のすべてを受験勉強に費やさないと合格できないからだ。切刀君と話していると、東大がいちばん偉い、という根拠のない確信がぐらぐら揺れてくる。そして体感として、なぜ早稲田から作家が輩出して、東大からは出ないのかがよくわかる。

切刀君との仕事は楽しい。なぜなら、そのすべてが無茶振りだからだ。分厚めの作品を何十冊も読んで、大量の人と対談してください。都甲先生はしゃべりが面白いから、なんて言われる。文学賞がらみの仕事もそうだ。

それまで、僕はしゃべりの仕事は大してやっていなかった。そして文学賞にはまったく興味がなかった。むしろ文学とは関係ないもの、ぐらいに思っていたのである。でもやってみるとなかなか面白かった。そして仕事を通じて、未知の自分に出会えた。

切刀君は学生をやりながら何年も、僕をこう使えば魅力が伝わるだろう、とか思い続けていたのではないか。考えてみれば、教師にとって家族の次に長く会うのが学生である。大学院まで行けば、ときにその期間は十年を越える。

だからむしろ、教師と学生というふうに考えるのが間違いなのかもしれない。たまたま学ぶ意思のある人たちが出会って、仮に教師と学生だと思いこんでいる。でもその実は、互いに影響を与え合いながら進化しているだけだ。

せっかくだから先生も呼んじゃおうか

しかしながら、これとは別の関係もある。と言うとネガティヴな話の感じがするが、そうでもない。たとえば、卒業してもう十年も経った女の子四人組が久しぶりに東京で会うとする。せっかくだから先生も呼んじゃおうか、なんて話になり、僕にも声がかかる。

この場合、僕にとってはうっすらキツい感じになる。いや、別に嫌じゃないんだけどね。「うち、男の子二人でしょう。だからすごく手がかかって。お願いだからもうやめて、なんて叫んでると一日が終わっちゃう」「そうなんだ。私は職場でちょっと上司とうまくいかなくて。あーあ、大学時代ってほんと、何にも考えないでいられたよね。先生の話なんか聞きながら笑ったりして」

こんな流れの場合、僕はあのころの先生をやることを求められる。十年前の真空パックみたいな感じだ。しかしながら、実際には僕自身も日々を重ねている。もはや三十代のあのころとは違う。でも、彼女たちから見れば、僕は過ぎ去った青春時代の化身だ。

というわけでちょっとずつ話はずれ、「え、先生、今はオフィスアワーやってないんだー」なんて少しがっかりされ、「でも見た目は全然変わんない」と気を遣われたりする。ありがとう。君らが優しい人たちだということはよくわかったよ。

こんなとき僕は、なんだか大学三十年生になったような気がしてくる。十八歳でこの人たちと一緒に早稲田に入学したのに、なぜか僕だけ卒業できずに、気づいたら長い年月が経っていた。「まだ卒業できないのー？」なんて言われながら。悪夢。

もちろんこれは妄想だ。でも、一抹の真実もあると思う。学生たちにとって大学時代は人生の一時期にすぎない。でも教師は同じ年代の学生たちを、定年までずっと教え続ける。まるで永久に玉手箱を開けられない浦島太郎みたいな気持ちだ。

たぶんこんな気分を振り切るには、過去を振り返らず、未来を考えず、という態度をとるべきなんだろう。そして目の前の相手にだけ集中する。なぜなら、同じ学生なんて二人といないんだから。でもねー。たまに疲れるんだよね。

サークルの先輩と久しぶりに会う

さて、保坂和志「この人の閾」の舞台は小田原だ。三十代後半の主人公はこの街まで取材に来て、相手の元大学教師に面談をすっぽかされる。さてどうしようか。そして大学のサークルの先輩である真紀さんがこの街に住んでいることを思いだす。

サークルというのはたぶん、早稲田の映画サークルだ。十五年程前、二人はここにいて、部室で長い時間を一緒に過ごしていた。「真紀さんは大学のころ決して美人というのではなかったが、何て言うか、雰囲気のあるしっかりした顔立ちをしていた」(11ページ)というから、主人公はなんとなく好きだったのではないか。

けれども、真紀さんの住む一軒家を訪ねても、特に恋愛風の展開にはならない。むしろ、映画を見ることや本を読むこと、そして結婚生活を続けることについての、散漫だがリアルな対話を二人は続ける。そして、人格の核のようなものを手渡し合って別れる。

たとえば、大学で学んだことについてだ。ベルイマンやフェリーニ、ゴダールといった芸術的な映画を見ろと先輩に言われていた二人は当時、別に額面通りその言葉を受け入れていたわけではない。「しかし映画にいろいろな方法や考え方があるのは当然知っていて、おかしな言い方をすればそういうことは一生忘れない。本当におかしな言い方だと思うが、一生忘れないようなことはそんないくつもあるもんじゃないと思う」(16ページ)。

いろいろな考え方がある、というのは映画についてだけではないだろう。生き方も価値観もいろいろある。そのいろいろという感覚を、二人は大学で学んだ。ここで興味深いのは、もっとも大切な教えを、授業とは別の場所で学んだ、ということだ。そして、そうしたものも含めて大学が成り立っていることがよくわかる。

主人公にとっては、真紀さんもまた、大事なことを教えてくれた教師だった。たとえばアル中の話をしていたとき、酒を三日止められても、三ヶ月止められても、十年止められたとしても、やっぱり退院して戻ってしまう人は戻る、と主人公が言うと、真紀さんはたしなめる。「戻る」という言葉に騙されて、それらすべてが同じだと思ってはいけない。どれだけの長さ止められたのかが重要で、そこにだけ注目すればいいのだ。

確かに、真紀さんの教えは正しい。「戻る」のは全部一緒と思えば、そこには諦めしかなくなる。でも長さに注目すれば、その間の努力も見えてくる。もう一度努力しよう、とも思えてくる。

雑な思考と時間の厚み

だからこそ今回、真紀さんが「ヒューマニスト的」という言葉を使ったとき、主人公はがっかりする。そんな、何もかも雑に結論づけるような表現を使う人だったっけ。

「ヒューマニスト的？　ぼくは小さく笑っただけだったが、聞いた途端に悲しいような気持ちが起こった。記憶の中の真紀さんといまの真紀さんの違いを感じたのだ。サークルのあの部屋でしゃべっていた頃の真紀さんだったら〝ヒューマニスト的〟というような安直な言葉は使わないはずだった」（26ページ）。

この主人公の気持ちはよくわかる。でもこうした考えは間違っていると僕は思う。おそらく真紀さんはもともと、「戻るという言葉に騙されるな」とも言い、「ヒューマニスト的」とも言う人だったのだ。そして主人公は、人は大人になると雑な思考をするようになるものだ、という、それこそ雑な思考をしている。

だからといって、真紀さんに対する主人公の学生時代の気持ちが誤解だったわけでもない。たった一歳上の先輩の言葉にも叡智を見て、それを手がかりに成長する、というのが教育の本質で、真紀さんが本当はどういう人だったかには関わりなく、そこには真の教育が成り立っていたのだ。

その後、今の真紀さんが夫について、「好きよ」というこれ以上なくシンプルな言葉を吐くのを聞いて、主人公は感動する。「一緒にいる時間が長くなればなるほど奥深さが醸成されちゃって、単純に一つの気持ちに傾いていかなくなってるよね。結婚する前に好きだったのと違う風に好きだし、あの頃といまとでどっちがあの人のこと好きかって言えば、いまの方が好きなんだと思うよ」（41ページ）。

そこには、限りない時間の厚みがある。いいとか悪いとかいうような浅い判断を越えて受け入れ合う関係が、しっかりと手触りを持って存在してしまっている。今の真紀さんに学生時代の真紀さんを重ねて見ていた主人公は、この「好きよ」の一言に目の曇りを剥がれる。そしてようやく、今という時間を生きている真紀さんをありのままに見るのだ。

果たして主人公は厚みのある関係を周囲の人々と作り上げられるのか。それはわからない。けれども一度は主人公を失望させた真紀さんは、再び彼に大切なものを伝えた。

参考文献
保坂和志『この人の閾』新潮文庫、一九九八年。

8 ニューヨーク

プロローグ――鍵だらけのドア

ニューヨークには一度しか行ったことがない。就職して一年目にたまたまカリフォルニアに用事があって、せっかくだから寄ってみよう、と思ったのだ。とはいえ、大陸を横断するんだから、飛行機でも時間がずいぶんかかる。

途中で機内食になったとき、コーシャーの人は言ってください、と機内アナウンスがかかったのには驚いた。コーシャーとは、ユダヤ教徒の人たちのための料理だ。さすがユダヤ人の多いニューヨークだな、ロサンゼルスとは全然違う。

ジョン・F・ケネディ空港に降り立って、ミニバンのシャトルバスに乗った。これでマンハッタンまで行くのだ。運転手はハイチ系の人で、クレオール語で電話しながら片手運転をしている。最後までずっとだ。しかもいろんなところをぐるぐる回るから、目的地にはなかなか着かない。

そういえば空港は、びっくりするほど大きな荷物を持った人たちの列でぎっしりだった。彼らはみな、ハイチやドミニカなど、カリブ海の島に里帰りする人々だ。大荷物はたぶん、全部お土産なんだろう。ニューヨークってカリブ海の玄関口なんだな、と気づく。

さて、僕が泊まったのは、当時コロンビア大学の院生だった梅崎君の家だ。コロンビア大学は崖の上みたいなところに建っていて、そこから下ると黒人居住区のハーレムになる。近いし安いから、ということで、彼はそこのアパートに住んでいたのだ。

というと、ハーレムは危険じゃないの、と心配する人もいるだろう。僕も心配だった。でも梅崎君は、そういう考え方をする人たちに怒っていた。そして黒人文化について語ってくれた。

彼らはTシャツにもピッシリとアイロンをかける。きれい好きでおしゃれな人たちなんだ。見ると実際、小学生の白Tシャツまでピッシリとして、皺一つなかった。まるで絵に描いたTシャツを前後二枚貼りつけたみたい。

とはいえ、梅崎君の家の前まで来ると、彼はじゃらじゃらと鍵を取り出した。なんとドアに十個ぐらい鍵がある。その鍵を上からバチン、バチンと開けていく。なんだこれ。梅崎君の嘘つき。

でもまあ、嘘つきでもなんでもなくて、何時台にはここに行ってはいけないとか、ここではこういう行動をしてはいけないとかいう街の決まりがあって、それを守っていれば安全だし、そうでなければ危険、ということらしい。それはロサンゼルスも同じだった。

近所を散歩してみると、本当に建物の入口に、何をしているかわからない人々がぼんやり座っていて、本当にヒップホップがかかっていて、本当に公園でバスケットボールをしていた。イメージ通りで、僕はワクワクしてしまった。

コロンビア大学まで歩きながら、9・11のときの話になった。僕が留学でアメリカに行った一ヶ月後に事件が起こって、そのときにはもう新学期が始まっていた。それから一週間ほど全授業がなくなり、次の標的はロサンゼルスかと震えていた。

ようやく授業が再開してもクラスの雰囲気はどんよりしていた。作文の先生が言ったことを覚えている。自分は大学で教えるようになる前にビジネスをやっていた。当時どうしても勝てない優秀なやつがいた。性格も良いし能力も高い。でも事件のとき、彼は崩れたビルのなかにいた。なんでアイツが死んで自分が生き残ったのかわからない。

さて、聞けば梅崎君は、コロンビア大学の校舎の屋上から、崩れていくビルをずっと見ていたらしい。距離があるとはいえ同じ島だ。それがどれほど恐ろしい経験だったかは、言葉にできないほどだったろう。

このときの旅行で、ビルの跡地にも行ってみた。当時はまだ何も再建されていなくて、代わりに巨大な、本当に想像を絶するほど巨大な穴が空いていた。普通の大都会が突然、切り裂かれた感じだ。ないことによって、かえってビルは圧倒的な規模でそこに存在していた。この世にこんなに巨大な暴力があるのか。

夜になると、梅崎君は瓶ビールが六本入ったパックを買ってきて、とにかくがんがん飲んだ。そしてあれこれ話した。僕も飲んだが、全然追いつけないペースだ。

そして床では、梅崎君の飼っている犬が駆け回っていた。この犬、英語しかわからない。だから梅崎君は「ハウス！」とか「グッボーイ！」とか連呼していた。その後、彼が帰国したとき、この犬は梅崎君の佐賀の実家に引き取られたと聞いたけど、大丈夫だったのかな。

近所で開かれる、学生同士のパーティーにも呼んでもらった。梅崎君はアボカドなどを使ったおしゃれなサラダを器用に作って持っていく。背も高いし料理もできるしで、梅崎君はアメリカ人の男女にも人気だった。

僕は横で、ああ、こういう人もいるんだなあ、と思った。日本人男性はアメリカでは人気がない、なんて言うのは真っ赤な嘘だ。現に見た目も人柄もいい梅崎君はしっかりモテている。でも……とこれ以上考えるとヘコむので止めた。

夜は梅崎君の彼女のベッドを貸してもらった。たまたまそのときは不在で、だから泊めてもらえたのだ。梅崎君と犬と僕という、奇妙な家族生活はなんだか楽しかった。今でもたまに、あの鍵だらけのドアを思いだす。

フィッツジェラルド『グレート・ギャツビー』
――キラキラした世界

ニューヨークにいるあいだ、僕は毎日ひたすら歩いた。地図を見て、地下鉄に乗り、駅から目的地へと徒歩で向かう。というと、当たり前に響くかもしれない。けれども僕にとっては珍しい体験だった。

ロサンゼルスに三年住んでいるうちに、自分のなかで強固なアメリカ像ができあがってしまっていた。街はめちゃくちゃ広くて、高速道路で一時間走っても終わらない。建物はせいぜい二階建てで、歩きではどこにも着けない。

普通の樹などまるでなく、生えていても上のほうにだけ葉があるヤシの木だ。もちろん、それは南カリフォルニアの典型的な風景だと今ではわかる。けれども、そうした間延びした風景が僕のなかに住み着いてしまった。

だから、ニューヨークの街がロサンゼルスとはまったく違うことに驚いた。まず、街が極端に狭い。中心地であるマンハッタン島は細長く、両側を河で区切られていて、がんばれば全域歩いて回れる。

つまりは街が、人間の身体を基準としたサイズで作られている、ということだ。ちょうど東京と同じように。東京もまた、がんばれば歩いて全部行けるギリギリのサイズになっている。たぶん大阪も京都もそうだろう。

そしてこのサイズ感を保ったまま発展したために、街が空に向かってものすごく拡大している。東京ではあまり見たことがないような高さのビルが大通りの両側にみっしりと並んでいて、不思議な壁のようだ。

そうした街並みを見ながら、僕は人生で初めて、東京は田舎だ、ということに気づいた。金沢から東京に出て来ると、東京は本当に大都会だな、と思う。けれども東京からニューヨークに行くと、都会ってここのことじゃないか、と気づく。そして、ああ、ここが世界の中心なんだな、と体感する。

ガイドブック片手にニューヨーク近代美術館に行く。たくさんの収蔵品のなかで、僕はジャクソン・ポロックの絵を見ることにした。そして、絵という概念とは違う何かに触れてしまった。とにかくめちゃくちゃに大きい。見ていると、絵から客観的な距離をとって眺めているというより、絵という環境に包み込まれて、そのなかで生かされる感じ。

しかも絵の具が多方向に飛び散った画面は、まるで暗黒のなかで原子の物質が弾けるビッグバンのようで、異様な、非人間的な力に満ちている。これはアートなのか。むしろもっと暴力的な、兵器のようなものではないのか。

実はポロックの絵は、千葉にある川村記念美術館でも見たことがあった。でもそのときには、のどかな田園風景のなかでポロック風のデザインが目の前に広がっているような感覚しかなかった。たぶん、マンハッタンのビルや近代美術館の建物、そしてアメリカの光が僕に、日本で見るのとは違うものを示してくれたんだろう。

たまたまアメリカ文学者の栩木玲子さんがサバティカルでニューヨークに住んでいて、アイルランド研究の栩木伸明さんも来ていたので、ご夫婦と一緒に他の美術館も回った。クイーンズにある、小学校を改装した近代美術館の別館PS1なんかも楽しかったんだけど、仲良しカップルのデートに紛れ込んだ邪魔者みたいで、ちょっと申し訳なかった。特に、一緒に地下鉄に乗ったとき、はずみで僕がご夫婦のあいだに座ってしまい冷や汗をかいた。

そのわりにはグリニッジ・ビレッジにあるマンションまで押しかけて、お二人と延々と話をした。上の階にある展望台に出ると、マンハッタン島を区切る河が左右に見渡せて、真正面にはエンパイア・ステート・ビルディングが聳えている。

なんなんだこの景色は。しかもこの巨大なビルが、遠く一九三〇年代にはもう建っていたというのも驚く。貧しかった日本はこんな豊かな国と戦争したんだね。恐ろしい。

さて、ニューヨークのこと、文学のこと、教師という仕事のこと。僕ら三人はありとあらゆる話題で話し込んだ。気づいたら日も暮れてきてしまって、そのまま家に泊めてもらうことになった。

学会や学校で会うのとは違って、アメリカの二人はすごくリラックスしておられた。そうだな。大学生のカップルが、キラめきを保ったまま大人になった感じ。

以前翻訳家の岸本佐知子さんと話したときに、このご夫妻の話題が出たことがある。上智大学の英文科で岸本さんは栩木伸明さんと同学年だったのだが、玲子さんは当時、キャンパスでもよく知られた素敵な女性だったそうだ。

たぶんそのころの二人の空気感はいまだに続いていて、だからこそ僕はとても気持ちが良かったんだと思う。ニューヨーク以来、お二人とはあれほどたくさん話したことはないけど、あのときの信頼感は今も僕のなかにある。

パーティーざんまいの秘密

さて、F・スコット・フィッツジェラルドの『グレート・ギャツビー』は、自分を変えたくてニューヨークに出てきた人々の話だ。語り手はニックで、中西部での暮らしが嫌になり、マンハッタンの株の世界だったら自分も活躍できるのではないか、と上京してくる。

そこで隣人になったのが、お城ほどもある豪邸に住むギャツビーだ。数々の伝説に彩られた彼は、夜ごと大きなパーティーを開く。なぜそんな金持ちの彼がニックに近づいたのか。それには理由があった。

かつてギャツビーにはデイジーという名の恋人がいた。だが、第一次大戦に参加したギャツビーは戦後、手違いでイギリスに送られ、待ちきれなくなったデイジーは、トムという大富豪と結婚してしまう。

当時のギャツビーは二人の結婚を阻止できなかった。なぜなら彼にはまったく金がなかったからだ。金がない人間は愛される権利もないのか。こうしてギャツビーは、世の中に復讐を始める。

彼は裏社会に潜り込み、野球賭博の胴元、証券の偽造、酒の密造などで巨万の富を得る。そしてほんの数年でニューヨーク郊外に豪邸を建てたのだ。彼の家からは湾を挟んでデイジーの家が見える。実はデイジーはニックの親戚でもあった。

ギャツビーはニックに頼み込み、デイジーとの再会の場であるお茶会を設定してもらう。そこからあとはとんとん拍子だった。デイジーの心は再びギャツビーに傾き、浮気を繰り返す夫を捨て、ギャツビーのもとに走ろうとまでする。

だが運命は残酷だった。トムはデイジーの前で、ギャツビーが犯罪者であることを暴いてしまう。そしてギャツビーを乗せた車を運転していたデイジーは、途中でトムの愛人であるマートルをひき殺す。

事故の疑いがかかってもギャツビーは逃げない。彼はあくまでデイジーを守りたかった。

しかし彼を追って来たマートルの夫にギャツビーは射殺される。かくして、彼の愛も彼自身も地上から消え去る。

ニューヨークの緑の光

『グレート・ギャツビー』で印象的なのは、夜通し灯っている緑の光だ。ギャツビーの家の先には海があり、対岸の桟橋の先っぽにこの光が見える。それに向かって、ギャツビーは手を伸ばす。

彼ははっとさせられるようなしぐさで、両手を暗い海に向けて差し出した。そして遠目ではあったものの、彼の身体が小刻みに震えていることがはっきりと見て取れた。僕は思わず、伸ばされた腕の先にある海上に目をやった。そこには緑の灯火がひとつ見えるきりだった。（46ページ）

もちろん、その緑の光は、彼が手に入れることのできなかったデイジーの象徴だ。そしてまた、ニューヨークという大都会が与えてくれるだろう富や愛、喜びでもある。言い換えれば、人生におけるキラキラしたものすべてだ。

だからこそ、彼はなんとかデイジーをトムから奪おうとする。それだけではない。今まで一度も彼を愛したことはなかった、とトムの前で言わせようとさえする。なぜか。完全な過去こそが、完全な未来を保証してくれるからだ。

しかし彼女はその言葉を口にできない。ともに将来を誓い、子供までもうけた相手を、まったく愛したことがない、というのは端的な嘘だ。そして彼女は、そうした言葉を語れない。

膨れあがった幻想

なぜギャツビーは敗れたのか。その答えは単純だ。彼の求めていたすべては幻想だったからだ。彼はデイジーとの過去を取り戻そうとしていた。しかしながら、実際のデイジーは過去において、ギャツビーが今、思うほど素敵な女性だったことはない。

何年ものあいだ彼女のことを考え続け、彼女のみを求め続けるあいだに、デイジーという幻想は膨れあがっていた。その幻想は二人の過去を書き換え、ギャツビーの現在を蝕み、彼の未来を破壊したのだ。

だからこそニックは言う。「結局のところ、彼の幻想の持つ活力があまりにも並み外れたものだったのだ。それはデイジーを既に凌駕《りょうが》していたし、あらゆるものを凌駕してしまっていた」（177－178ページ）。そしてあらゆるものを凌駕した幻想は、この世界に場所を見つけられない。

ギャツビーに取り憑いたのはデイジーとの愛という幻想だった。だが、都会に出れば幸せになれるとか、株の売買をすれば成功できる、という信念もまた幻想ではないか。それらは常にキラキラしている。そして知らぬ間に僕らの命を吸い取る。

ギャツビーの姿を見ながら、ニックはある違和感を自覚する。ここではないどこかへ行けばどうにかなる、という幻想への違和感だ。だからこそ、彼は故郷に帰ることを決断する。


結局のところ、僕がここで語ってきたのは西部の物語であったのだと、今では考えている。トムもギャツビーもデイジーも、ジョーダンも僕も、全員が西部の出身者である。たぶん我々はそれぞれに、どこかしら東部の生活にうまく溶け込めない部分を抱え込んでいたのだろう。（317ページ）

そして僕もまた、ニューヨークのはるか西にある日本に帰ってきた。確かにニューヨークと違って、ここは世界の中心にはとても見えない。それでも自分の歩み方一つで、場所の持つ意味は変えられるんじゃないか。

今『グレート・ギャツビー』を読みながら、ニックの地味な選択が僕には輝いて見えた。

参考文献

スコット・フィッツジェラルド『グレート・ギャツビー』
村上春樹訳、村上春樹翻訳ライブラリー、中央公論社、二〇〇六年。

シンガー「ギンプルのてんねん」、マラマッド「白痴が先」
――ニューヨークに生きる東欧

マンハッタンの四十七丁目にはダイアモンド地区と呼ばれる場所がある。たまたまここを通りがかって驚いた。ユダヤ教正統派の男たちが、夏なのに分厚い真っ黒なスーツを着てたくさん歩いていたのだ。

聞けば、オランダにあったダイアモンド取引の中心地が、ナチスによるユダヤ人迫害のせいでニューヨークに移ってきたらしい。とはいえ、こうした取引をユダヤ教正統派の人々が多く担っていたとは知らなかった。

彼らの服装には特徴がある。つばの広い黒い帽子に白シャツで、スーツも靴も全部黒い。髭を長く伸ばしていて、もみあげあたりに長い巻き毛を垂らしていたりする。現代の街ではものすごく目立つ。

ニューヨーク近辺にはユダヤ人が多いとは聞いていたけど、これほどとは思わなかった。彼らを見ていると、まるでナチスによって破壊される前の東欧のユダヤ人社会に迷い込んだような気がしてくる。

もちろん僕は日本でもユダヤ系文学は読んでいた。だけどそれが血肉を持って迫ってきたのは、ロサンゼルスの大学院で、ユダヤ系の学生と一緒に学ぶようになってからだ。彼らはことあるごとに、白人の学生たちに向かって、我々の考えとは違うと主張する。じゃあ強面なのかと思えば、僕のようなアジア系の学生にも意外なほど親切だ。なんというか、異質な人々のなかで少数であることがどんなに心細いかを身をもって知っている人たち、という感じがして好感を持った。

ニューヨークに住んでイディッシュ語で書く

かつてこの街に、アイザック・バシェヴィス・シンガーという作家がいた。三十歳を過ぎてポーランドからアメリカに渡ったのは一九三五年で、それ以来半世紀以上にわたって、今はもう失われてしまった東欧のユダヤ人社会や、アメリカのユダヤ人たちの姿をイディッシュ語で描き続けてきた。イディッシュ語とはドイツ語とヘブライ語が混ざってできたユダヤ人たちの言葉だ。

僕の好きなシンガーの短編に「ギンプルのてんねん」というのがある。ポーランドの村に住むパン屋のギンプルはとにかく間抜けで、年中村人たちに騙され続けている。ついに彼は生娘だと言われて、エルカと結婚させられることになった。実は彼女はもう二度も離婚していて、おまけに連れ子もいたのだ。しかしその連れ子は彼女の弟だと主張して夫婦と同居する。

エルカには猛烈な浮気癖があった。パン屋から戻ってくると、知らない男と寝ている。けれどもそれをギンプルが責めると、目の錯覚だとか言って猛然としらを切る。なんと二人のあいだに初めての子供が生まれたのは、結婚からたった四ヶ月後だった。

ついにギンプルはエルカと離婚するが、今度は淋しくて仕方がなくなる。妻と子供に会えないことに耐えられなくなるのだ。

しかし、夜になって粉袋に身を横たえると、めそめそした気分になって。女房や子どもが恋しくて、恋しくて。あんな女には愛想を尽かしてやれと思ったけれど、そこがおいらの運のつき。愛想を尽かすということができないたちなんだ。（53ページ）

彼にとっては、どんなひどい妻だろうが、血のつながった子供が一人もいなかろうか、そんなことはどうでもいい。一度愛してしまえば、もうそれは本当の妻、本当の子供なのだ。

そして彼は決意する。どんなに信じがたいことだろうが、すべて信じることにしよう。

「疑ってかかって何かいいことがあるというのか？　妻が信じられなくなったら、次の日には神様までが信じられなくなる」(54ページ)。

やがて妻は乳がんになりこの世を去る。夢に出てきた彼女は、地獄の炎に焼かれて顔が真っ黒だ。彼女は死後ようやく悟る。自分はギンプルを騙してきたと思っていたけれど、実は騙していたのは自分自身だった。

悪魔にそそのかされて、自分を騙してきた世間に復讐しようとしてギンプルはパンに小便を入れる。だが夢のなかの妻の言葉を聞いて思いとどまる。そしてギンプルはパン屋を捨て、世界を歩き回ることを決意する。

彼は気づく。どんなに信じられないことだろうと、人類の長い歴史のなかでは誰かに起こる。だから嘘なんて存在しない。人間が思いつく限りのものはすべて現実なのだ。

ときどき妻が夢に出てきて彼を愛してくれる。「時おり、キスをして、頬ずりをしてくれ、さめざめとおいらの顔に涙を流すんだ。目が醒めても、唇の感触が残っていて。あいつのしょっぱい涙の味もね」(60ページ)。老年に達したギンプルは、ようやく妻との完全な愛を手に入れることができた。

存在しない社会の言葉

シンガーの作品には特徴がある。多くの場合、舞台が第二次大戦前のポーランドであること。民話の内容と語り口が使われること。現実と幻想の区別がないこと。そして、教訓をまったく避けないこと。

要するに、現代小説の暗黙の決まりをことごとく破っている。そしてレベルが低いかと言えば、そんなことはない。読むと深い感動が得られる。一九七八年にノーベル文学賞を受賞したことからも、その評価の高さはわかる。

彼は生涯、作品をイディッシュ語で書き続けた。アメリカに渡ったあともずっとだ。ナチスによって東欧のイディッシュ語文化圏は破壊され尽くした。イスラエルも、イディッシュ語に古代ヘブライ語を大量に混ぜた現代ヘブライ語を国語としたから、もはやイディッシュ語の国ではない。

したがって、シンガーはすでに存在しない社会の言葉を使って半世紀も書き続けたことになる。そして彼の作品は、今や世界中で読まれている。シンガーの生き方からは、自分にとってのリアルな言葉こそが国境を越える力を持つことがよくわかる。

もっとも、彼が有名になったのは作品の英訳を通してだった。シンガーは協力者と一緒にオリジナルの作品を英訳する。そのとき、英語の小説としてしっくりくるように、自分で作品を書き換えてしまう。

だから、同じものをイディッシュ語版と英語版で読むと、けっこう感じが変わっている。実際僕も「ギンプルのてんねん」を最初英語で読み、次にイディッシュ語から直接日本語に訳した版で読んだ。結論としては、イディッシュ語のもののほうが、より東欧が濃い感じがする。

シンガーの作品にははっきりと神がいる。だから、世俗的な価値は最後、すべて転換されてしまう。騙す村人や妻よりも騙されるギンプルの方が救いに近い。この世は幻であり、神の言葉のほうが現実である。

シンガーは古いラビの家系に生まれ、彼自身ポーランドでは宗教的な教育を受けた。しかし彼は聖職者への道は選ばなかった。むしろ書くことが好きで、世俗的な言葉で物語を記す人生を選んだのだ。

けれども彼の作品は宗教的な感覚で満ちている。彼の作品を読んでいると、神への信仰を失った現代において、そうしたものを伝える唯一の効果的な方法は文学なのではないか、とも思えてくる。

だがしかし、そのことは彼の作品が単に説教臭いものであることを意味しない。そうした退屈さはまるでないのだ。登場人物たちは愚かで弱い。ギンプルも妻も村人たちも、途中で出て来る悪魔さえも、自分の弱さに引きずられている。

その弱さを直視するところから笑いも出てくる。浮気現場を見られたエルカはギンプルに、山羊の調子が悪いみたい、と言う。黙って山羊の世話に行った彼は、山羊が苦しんでいないのを知ってホッとする。

「山羊さん、おやすみ。達者でな。すると物静かな生き物が、めえと鳴いた。全身でありがとうと礼を言ってくれたみたいだった」(56ページ)。このシーンは悲しくて、同時に面白い。そして限りなく優しい。

シンガーの世界では、人も山羊も悪魔も、神の前ではみな同じ、愛すべき存在なのだ。作品には家庭不和や貧困、差別など、この世のリアルな苦しみが出て来る。

それらは決してきれいごとではない。でもそれを乗り越えていける強さがある。シンガーの作品を読んでいると、信仰は現代を生きるための力なのだということがよくわかる。

ニューヨークを通して見るポーランド

こうした世界観は、シンガーより十年あとにブルックリンで生まれたバーナード・マラマッドの作品にも通じる。短編「白痴が先」はこんな話だ。メンデルはある日、死神のギンズバーグと会って、自分の命が今日明日にも尽きると知る。

だがこのまま死ぬわけにはいかない。彼には今年三十九歳になる知恵遅れの息子アイザックがいるのだ。なんとか彼を列車に乗せて、カリフォルニアに住む八十一歳のおじの元に送らねばならない。しかし切符代が三十五ドル足りない。

メンデルはニューヨークのユダヤ系社会をかけずり回って、なんとかお金を作ろうとする。だが質屋では時計を買いたたかれ、金持ちのフィッシュバインには、個人への慈善はやっていないと門前払いされる。

結局彼を助けてくれたのは年老いたラビだった。新品の外套を手渡され、メンデルはどうにか切符を手に入れる。けれども息子はすんなりとは列車に乗れない。乗車時間に一分遅れたとギンズバーグに難癖を付けられ、入場を阻止されるのだ。

切羽詰まったメンデルは、なけなしの体力を振り絞ってギンズバーグと格闘する。そして死神は、相手の目に映った自分の姿のあまりの醜さに衝撃を受け、親子を駅に入れてやる。

この短編に出てくるニューヨークは、そのままポーランドの街のようだ。死神や質屋、金持ちが同等の存在として登場するし、質屋はユダヤ料理の魚を食べている。とはいえ、ここはユダヤの村よりずいぶん冷たい。

金ばかりの人々のなかで、唯一頼りになるのはやっぱりラビだ。外套を惜しむ妻に向かって彼は言う。「古いのがあるさ。体は一つなんだ、誰が二つ要る?」(239ページ)。そしてこうたたみかけるのだ。「貧しい人たちのなかに、新しい外套なんか着て誰が入っていける?」(240ページ)。

移住先のアメリカでも信仰は続く。そしてラビは人々に寄り添ってくれる。シンガーやマラマッドの作品を読んでいると、現代社会に生きる僕らにも、こうした世俗とは違った価値観も必要なことがわかる。

参考文献

アイザック・バシェヴィス・シンガー『不浄の血』西成彦訳、河出書房新社、二〇一三年。
バーナード・マラマッド『喋る馬』柴田元幸訳、スイッチパブリッシング、二〇〇九年。

J・D・サリンジャー『キャッチャー・イン・ザ・ライ』
――ナイフとフォーク

ニューヨークに行ってきた。十何年かぶりである。今回は遊びではなく、ニューヨーク大学の研究会に呼ばれたのだ。題して「翻訳を翻訳する」で、ジュノ・ディアス『オスカー・ワオの激しく短い人生』を日本語に翻訳する苦労について話してきた。『オスカー・ワオ』では登場人物たちはしょっちゅう翻訳している。スペイン語から英語に、その逆に。そもそもタイトルのオスカー・ワオという名前すら作家オスカー・ワイルドの翻訳で、というところから入って、いかにこの作品が翻訳を巡って書かれているかについて語った。

さて、そうした二言語を行き来する作品を翻訳するには困難がある。だって翻訳とはそもそも、もとの言語で書かれた作品を、別の一つの言語に訳すものだからね。で目を付けたのがルビだ。ルビを駆使することで、一つの表現の読みや意味を自由に定義し直すことができる。

そしてこの自由さは、そもそも日本語の表記体系が中国語と日本語のハイブリッドであることからきている、と展開した。さらには、こうしたハイブリッドさを使った温又柔さんや東山彰良さんの作品も続々とでてきている、という話もした。こうして、まさに現代日本文学において、英語とスペイン語の関係と、日中の歴史的関係が創造的に出会ったのである、と。

正直講演をする前は不安だった。もちろん英語だし、アメリカの学者による質疑応答もあるし。でもいちど始まってしまえばなんてことなかった。日本語のときと同じく普段通りしゃべれたし、質問は全部聴き取れたし、おまけにけっこう反論もできた。なんというか、野球っぽく言えば、球ではなく英語が止まって見えた感じ。

これは理屈では当然のことだ。もう何十年も英語を勉強しているんだし、コメンテーターとして並んでいるアメリカの教授たちの多くは僕より年下だし。負けるわけない。でも感覚的には違った。あれっ、意外と大したことないな、みたいな。

おそらく僕のなかで、二〇〇四年にアメリカの大学院を辞めて日本に帰ってきたときで、アメリカでの僕の人格が止まっていたんだと思う。だから、英語になった途端に、言われ放題な学生の感覚が残っていたんだろう。

だからこそ、「やればできる」という体感は僕にとって衝撃だった。いや、たんに今の自分まで自己像がアップデートしただけなんだけど。これだけでも寒い時期にアメリカに行った甲斐があった。

ニューヨークでオーストラリア人と日本について話す

　という話をしたいんでは実はない。パーティーでの出来事の話をしたいんだった。何しろ昼夜逆転で、おまけに飛行機に片道十四時間も乗りっぱなしでふらふらだったのに、着いて直ぐウェルカム・パーティーにでかけた。毒を食わば皿まで、という感じだ。

　会場に行ってみると席には名札が並んでいて、僕の隣は作家の小野正嗣さんだった。で向かいはオーストラリアからきたジェームズだった。誰？　やって来た彼を見て驚いた。背の高いイケメンで、長髪をまとめていて、緑っぽい花柄のダウンという派手な格好をしている。他の人たちは大抵がジャケット着用だから、はっきり言って浮いている。

　で話してみて驚いた。ジェームズはオーストラリアではわりと知られたミュージシャンだったのだ。ボーカル兼ギターでヒット曲もある。でも最近はＣＤの売り上げも落ちてきて、ライブハウス巡りでいつまたヒット曲が出るかわからない不安定な状況に嫌気が差して、大学院に入ったのだという。専攻は国家安全保障で、ようやく講師の職が決まったところだ。あー、どうりでカタギじゃない雰囲気なのね。

　そしていきなり日本の音楽トークで盛り上がった。日本のバンドでは、彼はコーネリアスが好きだと言う。オーストラリアのオルタナティヴ系ラジオで聞いてハマったのだとか。とにかく『FANTASMA』が最高だね。もうＣＤが終わったのかと思ったら、だいぶ無音が続いてから急に音が出たりしてかっこよかった。

なので僕も負けじと、『69/96』も良かったでしょ。実はコーネリアスをやっている小山田圭吾さんのもと相方、小沢健二さんは僕とここにいる小野さんの大学時代のクラスメートで、なんて言ったから大盛り上がりで、九〇年代渋谷系懐かしトークになってしまった。小山田さん、小沢さん、世界的に有名になってくれてありがとう。

聞けばジェームズはきゃりーぱみゅぱみゅも好きでYouTubeで聴いているという。それから彼のロック歴史観が続いた。そもそもニルヴァーナのカート・コバーンがちゃんと使命を最後まで果たさなかったから、彼の死後みんな何を聞いていいかわからなくなって、一挙に市場が多様化したんだよね。うーん、グランジ歴史観。いいねぇ。

でもそもそもどうして日本のことに興味があるの、と聞くと、彼は意外なことを言った。キャンベラでミュージシャンをしながら、八年も合気道の道場に通っていたのだ。そこの先生はイカれていて、日本好きが行きすぎて、自分も生徒も全員白人なのに、この道場に通う者は全員、食事を箸で食べなければならない、と決めつけ、激しい訓練を強いてきたとか。

で、日本から師範代が来たときに、その成果を披露すると、苦労して食べている生徒の前で師範代がこう言ったそうだ。「いつも箸使ってるの？　ナイフとフォークでいいんじゃない」その一言を聞いて、ジェームズは日本人の合理性に打たれたんだとか。なんだかその場に僕もいたかったな。

大学と階級

というわけでニューヨークでジェームズとオーストラリアのヘンテコ日本について話したあと、彼は悩みを打ち明けてきた。自分はオーストラリアの内陸部、つまりはド田舎の出身で、やることと言えば酒を飲むことぐらいで、十代からみんなが酔っ払っているような場所の出身だ。当然出身階級も低い。

でも大学の世界は上の階級のやつばかりで、何が正しいとか間違っているとか、こういう場合はどうすべきだ、という基本がまるでわからない。しかも誰も教えてくれない。違和感がすごいし、いつも自分は間違っているんじゃないか、という疑いもある。君たちは大学で先生をやっているようだが、そうした違和感をどうしているのか。

確かに。まさに僕もそうしたことを大学院時代にはよく感じていた。大学教師の親は大抵は大学教師で、その上の祖父母もそうだったりすることが多い。そうした家出身の学生は言動を間違えるということがなくて、だから周囲との摩擦もなく、わりとサクッと出世したりする。でも僕はわからないから、周りとゴツゴツぶつかってばかりだった。

でもね。そんな自分でもいいんじゃないかな、と僕は言った。カルチュラル・スタディーズを作ったレイモンド・ウィリアムズという学者は、ウェールズ地方にある踏切の信号手の息子で、そこからケンブリッジに行き、違和感のなかから新しい学問を作った。だからさ、ジェームズみたいな人がいることで、助かる人もいるんじゃないの。

あとは上の階級出身の味方を作ることだね。教師とか友達とか。彼らだって個別には良い人だから、けっこう助けてくれたりする。こっちから壁を作らなければなんとかなるもんだよ。そんなことを言いながら、自分は地球の裏側で、しかも英語で何良いこと言ってるんだ、と思った。人間って、一皮剝けばイケメンも外国も関係ないのかもしれない。

数日後、ニューヨーク大学の書籍部でジェームズと偶然再会した。「いやあ、自分は九時五時みたいにがんばるのが苦手なタイプでね。研究会を抜けてきちゃったよ。でもちゃんと発表はしました」という彼の顔がスッキリしていた。また地球のどこかで再会するかも知れない。そのときには彼は、禍々しいほど偉くなっていたりして。

凍った池のアヒルを見る

さて、今回の旅でやりたかったことの一つが、冬のセントラルパークでアヒルがどうしているか見るということだった。というと、なんだそれ、と思われるかもしれない。実はこれ、J・D・サリンジャー『キャッチャー・イン・ザ・ライ』の主人公ホールデンが何度も口にする台詞なのだ。

自分も高校を追い出され、かと言って家には帰れず、何日もニューヨークをさまよっているんだし、アヒルのことより自分のことを考えたほうがいい、というところだが、たぶんこのアヒルは、ホールデン自身のことでもあるんだろう。セントラルパークの池は冬は全部凍ってしまう。するとあんなにたくさんいるアヒルたちは一体どこにいるんだろう。まさか一緒に凍ってしまうなんてことはないよね。で、僕も行ってきた。というか、偶然見つけてしまった。

セントラルパークの西側を走る地下鉄の駅で降り、そのまま公園を東に横切ってメトロポリタン美術館に行こうとしていた。でも、いくら歩いても歩いても公園は終わらない。やがて池に出てしまった。そこでは半分凍った水面に、たくさんのアヒルが浮いていた。というわけで自分なりの正解は、「セントラルパークの池は相当大きくてなかなか凍らない。だからアヒルも大丈夫」だ。

それでも歩いていると、ジョン・レノンが住んでいたダコタ・ハウス前にimagineと書かれたモザイクがあって、そこにバラの花を一輪置いて、子供が二人寝そべって記念写真を撮っていた。氷点下で地面に寝るなんて、いいね。実は僕は東に歩いているつもりで南に向かっていたのだ。南北に極端に長い公園だから、そりゃ終わりが来るわけもない。

ようやくぐるっと池を回り、途中映画の撮影現場に突入したりして、メトロポリタン美術館に着いたころには一時間が経っていた。おかげで体が大いに冷えたけど、なんだかものすごく楽しかった。他にも研究会の合間を縫って大学のあるグリニッジ・ヴィレッジや中心街のタイムズ・スクエアなど、マンハッタンのいろいろなところを歩き回った。

それでわかったのが、ニューヨークを舞台とした文学にはこの街の感じが濃厚に書き込まれている、ということだ。たとえば外に階段がある古いビルを見ればポール・オースターのニューヨーク三部作を思いだす。地下鉄のアナウンスがものすごくラップっぽかったり、道端でハイチ・クレオールを話しながら盛り上がっている兄ちゃんたちが「ジェイZ!」と叫んでいるのを聞いたりしながら、僕の意識は常に他の文学作品の方へ飛んでいった。まさにマンハッタンは文学の理想の共和国だ。

参考文献

J・D・サリンジャー『キャッチャー・イン・ザ・ライ』村上春樹訳、白水社、二〇〇六年。

あとがき

ある日、切刀君から連絡があった。書き下ろしでブックガイドを作ってみませんかと言う。題して『「街小説」読みくらべ』で、僕にとって思い出深い街をいくつか選び、そこにちなんだ作品を読んで紹介していく、という企画である。この話をもらって、僕は感慨深かった。

本文でも述べたとおり、切刀君は僕の元学生で、学部から大学院修士にかけて授業にずっと出てくれていた。当時から独特で、編集者になってからも、横浜の山下公園で絵描きをしている人に突然イラストを頼んだり、戦後乙女カルチャーの横にはずっと美輪明宏がいた、という謎の理論を展開するなど、ずいぶん刺激をくれ続けている。

その彼は「都甲さんはなによりしゃべりが面白い」というのが持論で、したがって『読んで、訳して、語り合う。』という対談集を出したり、『きっとあなたは、あの本が好き。』『世界の8大文学賞』という、膨大な課題図書を読んでは名だたる人たちと僕が鼎談する本を作ったりと、僕のしゃべり力を最大限引きだしてくれてきた。

その彼が書き下ろし、というのだから嬉しかった。都甲さんは書いたものも面白い、とようやく思ってもらえたのかなあ。恐くて本人には直接訊いてないけど。もっとも、『今を生きる人のための世界文学案内』という本も出したが、これは書き下ろしではなくて書評集だ。

ちなみに、この本で最も話題になったのは「前山君のこと」というエッセイで、朝日新聞朝刊の「折々のことば」という鷲田清一さんのコラムにも取り上げてもらった。「自分で気づいているかどうかにかかわらず、人のやることはどれも命懸けなんだ」という一文だ。自分で言うのもなんだけど、熱いですよね。

で書き下ろしである。これには一つ問題があった。締め切りなしに放置されると僕は限りなく先送りにしてしまうのだ。しかも(良い)リアクションが続けてないとやる気がすこぶる低下する。「じゃあウェブ連載にして、毎月更新しましょう」と切刀君はまたもや明解である。

この時点では立東舎のサイトにはウェブ連載というカテゴリーはなかった。だが親会社がIT企業だからだろうか。切刀君はエンジニアに発注して、瞬く間にシステムを構築してしまった。なんて優秀なんだ。おまけに僕を含めて複数の連載を同時に開始する始末である。これはもうやるしかないよね。

今まで文芸誌などに連載したことはあった。だから紙でもウェブでも同じようなもんだろう、と見くびっていたことは否めない。いやいや、やってみてわかったけど、全然違うんですよ。まずはリズム感が違う。紙なら息が長い文章もオーケーだし、段落が長くても問題ない。むしろ長い方がかっこいいぐらいだ。

でもウェブではみんなスマホで文章を読む。あるいはパソコン画面で読んでいる。だから難しくて長い文章は歓迎されない。というか、自分で読んでみて嫌になるから、自然と書き方が変わってくる。段落だって長いとうんざりする。そして改行が多くなる。文章も、単純で直接心に響く表現を探りだす。

こうした変化は自分にとって、ものすごく意外だった。長いこと、自分の文章と体質が深く結びついていると思い込んできたから、メディアが変わってもそんなに変わらないだろう、と考えていたのだ。でも文章なんて、わりとすぐ変わってしまうものですね。

というわけで、十代二十代の人たちにとっては普通だろうウェブ文体に影響を受けながらエッセイを書くのは楽しかった。そしてその変化は、文章の内容にまで影響を及ぼした。最初に書いた本郷の章は比較的重くて、小説の分析のところは伝統的な文芸評論の雰囲気が強い。でも最後のニューヨーク編では、体験記なのか思い出語りなのか、あるいは書評なのかよくわからないものになっている。

二年かけて手に入れた軽み、みたいなものは僕を大きく解放してくれた。それだけでも、この本を書いた甲斐があったと思う。一言で言えば、こうあるべき、という思い込みからの自由とでも言うか。

雑誌連載では望みようもなかった、幅広い人たちからの迅速なリアクションにも励まされた。主観的には、会う人会う人、僕の連載を読んでくれている、という感じ。これは驚いた。つながり方の速さと深さが紙とは全然違う。もちろんつながらないからこそできることもあるだろうけど、でも読んでもらえると、やっぱり嬉しいですよね。

この本を書きながら、今までの人生で様々な方のお世話になってきたことを実感した。そしてまた、多くの本の書き手にもだ。その点では、本書は僕にとっての恩人のリストにもなっている。そして切刀君を始めとするスタッフの方々、多くのリアクションをくれた読者たち、支え続けてくれた家族。みんながいなければ、この本が生まれることはなかったでしょう。深く深く感謝しています。本当にどうもありがとうございました。

二〇二〇年二月二二日　千葉の寓居にて　都甲幸治

この作品は立東舎webサイト(2018年3月～2019年6月)に
連載されたものに加筆修正しました。
まえがき、7章、8章、あとがきは書き下ろしです。

「街小説」読みくらべ

著者　都甲 幸治

発行人　古森 優
編集長　山口 一光
ブックデザイン　小野寺 健介(odder or mate)
担当編集　切刀 匠
発行:立東舎
印刷・製本:株式会社廣済堂